D1187523

Julia
et le Vicomte

REJETE

DISCARD

MEG CABOT

Julia
et le Vicomte

Traduit de l'anglais (États-Unis)
par Camille Croqueloup

HACHETTE
Jeunesse

Première
Partie

1

Londres, 1810.

— Je donnerais tout, Julia, pour être orpheline comme toi, soupira l'honorable Eleanor Sheridan. Quelle chance tu as, vraiment !

Julia Sparks contemplait pensivement son reflet dans le grand miroir au cadre doré de la coiffeuse de la chambre. Elle ne parut pas s'offusquer des paroles de son amie.

— Oui, n'est-ce pas, acquiesça-t-elle.

— Voilà bien du nouveau, et j'espère que tu auras la bonté de nous pardonner, à ton père et à moi, de ne pas avoir encore rendu l'âme ! s'exclama Lady Sheridan d'un ton indigné en donnant à Mirabelle, la femme de chambre française de sa fille, une nouvelle pile de dessous à serrer dans la malle.

Debout derrière Julia, Eleanor détaillait ses boucles châtaines d'un œil non moins critique que celui de son amie pour les siennes, d'un noir d'ébène. Elle leva les yeux au ciel.

— Ne le prenez pas ainsi, maman, voyons ! Vous savez bien que je ne souhaite ni votre mort ni celle de papa ! Seulement, maintenant que nous quittons l'école, Julia reçoit tant d'invitations qu'elle peut décider de vivre où bon lui semble, tandis que moi, je n'ai pas le choix : je suis condamnée à passer le restant de mes jours – jusqu'à mon mariage, en tout cas – à la maison, avec vous deux et ces affreux Nat et Phil !

— Si tu éprouves tant d'aversion pour ton propre foyer, je peux très bien t'envoyer dans le Surrey, chez tes grand-tantes. Je suis sûre qu'elles se feraient un plaisir de te recevoir, menaça Lady Sheridan.

Les yeux noisette d'Eleanor s'élargirent d'horreur.

— Dans le *Surrey* ! s'exclama-t-elle. Mais qu'est-ce que j'irais faire là-bas ?

— Ce n'est pas à moi de te le dire, répliqua sèchement sa mère en refermant la première des nombreuses malles de sa fille. Tu le sauras bien assez vite, si tu persistes à débiter de telles sot-

tises. Une chance pour Julia d'être orpheline !
a-t-on jamais entendu pareille absurdité !

La remarque tira cette dernière de l'examen de sa nouvelle coiffure – Julia avait maintenant seize ans révolus, et c'était la première fois que Martine, sa très stricte femme de chambre française, l'autorisait à porter les cheveux relevés. La jeune fille se tourna vers la mère de son amie.

— Mais j'ai *effectivement* de la chance, Lady Sheridan, dit-elle. Mes parents ne peuvent pas me manquer, puisque je ne les ai jamais vraiment connus. Ils sont morts seulement quelques mois après ma naissance, voyez-vous, et si leur fin fut tragique, ils ont du moins eu l'heur de périr ensemble...

— Comme c'est romantique ! soupira Eleanor, et comme j'aimerais, moi aussi, disparaître emportée, lors d'un violent orage, par une soudaine crue de l'Arno !

— Mon père n'était pas riche, mais il m'a laissé l'Abbaye, poursuivit Julia calmement en ignorant l'interruption de son amie. Je suis ainsi assurée d'un certain revenu, assez modeste, bien sûr, mais qui suffit à payer mes études et ma bonne, et me permet de m'offrir, de temps à autre, un ruban ou un nouveau bonnet.

Elle pivota à nouveau sur son siège, face à la

coiffeuse. Si son amie Eleanor était sans conteste la plus jolie fille de la Pension pour jeunes personnes de Mme Vieuxvincent, nul n'aurait qualifié l'image que lui renvoyait le miroir de désagréable, mais elle jugeait pourtant le léger semis de taches de rousseur sur son nez – funeste souvenir de cette partie de canotage, l'été précédent, quand elle avait négligé de se munir d'un chapeau ou d'un parasol pour protéger son visage des ardeurs du soleil – positivement affreux.

Elle devait, malgré tout, reconnaître qu'elle avait de la chance.

— Eleanor a donc raison, en un sens, et je ne saurais me plaindre de mon sort ; du moins jusqu'à présent, car, en ce qui concerne l'avenir...

La jeune fille mordilla pensivement sa lèvre inférieure et la regarda s'empourprer au fur et à mesure que le sang affleurait. L'usage du rouge à lèvres étant strictement interdit – tout comme celui de la poudre, n'en déplaise aux taches de rousseur de Julia –, les pensionnaires recouraient parfois aux pinçons et aux morsures pour aviver leur teint. Julia s'en souciait d'ordinaire pourtant assez peu, elle dont les cheveux et les cils d'un noir profond rehaussaient l'ivoire de la peau.

— J'ignore ce que je vais devenir, enchaînat-elle. Maintenant que mon éducation est terminée, j'imagine que je vais être emportée de-ci de-là, sans attaches, comme un chardon au gré du vent...

— Sachez, Julia, que si vous en venez à vous lasser un jour de votre condition de chardon, vous serez toujours la bienvenue à la maison, et ce, pour aussi longtemps qu'il vous plaira, déclara Lady Sheridan.

Elle secoua un châle tout froissé pour en effacer les plis et le donna à Mirabelle, qui l'enveloppa soigneusement d'un papier de soie avant de le ranger à son tour dans la malle.

— Comme si Julia allait venir vivre chez nous ! s'écria Eleanor de la fenêtre inondée de soleil près de laquelle elle se tenait. Rendez-vous compte, maman ! Elle peut choisir parmi les demoiselles les plus en vue de l'école : Sophia Dunleavy l'a invitée, et Charlotte Murphy également ; et même Lady Honoria Bartholomew, dont les parents possèdent une résidence dans Park Lane, qui dispose de son propre landau... et qui a reçu toute une série de toilettes neuves, inspirées des croquis de mode de *La Belle Assemblée*, pour son entrée dans le monde. Son père est un comte, lui – le comte de Farelly –, et pas seulement vicomte comme papa !

Mais l'imposant lignage de Lady Honoria Bartholomew n'impressionnait guère Lady Sheridan.

— Bonté divine ! s'exclama-t-elle. À quoi songe donc Lady Farelly en conviant chez elle une jeune fille comme Julia, juste au moment où sa propre enfant se prépare à apparaître pour la première fois en société ? Elle doit avoir perdu l'esprit !

Julia sentit soudain ses yeux s'embuer. Eleanor était restée sa meilleure amie, durant toutes ces longues années de pensionnat, et les deux jeunes filles avaient pris l'habitude de passer ensemble les vacances à Sheridan Park et les week-ends dans la grande demeure londonienne. Elle en était presque venue à imaginer que Lady Sheridan, dont l'affectueuse bonté à son égard ne s'était jamais démentie, la considérait elle aussi comme sa propre enfant.

L'entendre à présent porter pareil jugement !

— Une jeune fille comme Julia, s'indigna Eleanor, prompte à prendre la défense de son amie. Que dites-vous là, maman ? Et devant elle, en plus !

Lady Sheridan parut contrariée.

— Petite sotte, rétorqua-t-elle posément. Je dis tout simplement que Lady Farelly ne doit pas avoir pour deux sous de jugeote, si elle héberge sous son toit une jeune personne aussi jolie que Julia, alors que sa propre fille – qui, malgré sa richesse, n'a rien d'une beauté – cherche à se marier !

Julia comprit soudain que ce qu'elle avait pris pour une rebuffade de la pire espèce se révélait, en réalité, un délicat compliment. Elle ravala ses larmes et, dans une soudaine bouffée d'affection pour la mère de son amie, se précipita dans ses bras, manquant au passage de faire culbuter toute une pile de linge des bras de Mirabelle.

— Oh, Lady Sheridan, comme vous êtes bonne, et combien je vous aime ! J'en regretterais même de ne pas aller chez vous, en fin de compte !

Un peu déconcertée, la brave dame lui tapota affectueusement l'épaule.

— Vous êtes une enfant charmante, Julia, déclara-t-elle, et vous faites le plus grand bien à ma fille. Ce n'est qu'en désespoir de cause que nous nous sommes résolus à mettre Eleanor en pension : aucune des gouvernantes que nous avions engagées n'était parvenue à lui inculquer une connaissance, fût-elle sommaire, de la langue française et de l'art du petit point. Mais, grâce à vous – et à Mme Vieuxvincent, bien sûr –, voilà que je la retrouve bien moins écervelée. Nul doute que votre heureuse influence l'a enfin décidée à se tourner sérieusement vers l'étude !

— Pardonnez-moi de vous contredire, maman, protesta Eleanor avec humeur, mais je ne suis en rien une écervelée ! N'oubliez pas que j'ai été reçue deuxième – après Julia, bien sûr – au dernier classement général de toute l'école ! Et j'ai lu en entier, pas plus tard que le mois dernier, le *Lai du dernier ménestrel* !

Elle interrompit soudain sa tirade indignée en entendant un bruit au-dehors.

— Viens voir, Julia, vite ! C'est Apollon, Apollon, te dis-je ! Il est donc venu, en fin de compte, tout comme Lady Honoria nous l'avait promis !

Julia abandonna aussitôt Lady Sheridan pour se ruer vers la fenêtre, accrochant périlleusement, dans sa hâte, sa robe de mousseline blanche au coin d'un meuble.

— Prenez garde, mademoiselle ! s'exclama Mirabelle, saisie. Un si joli tissu !

— Comment peut-on se soucier d'un stupide vêtement quand un véritable Apollon apparaît, en chair et en os, sous vos fenêtres ? prononça dédaigneusement Eleanor en se poussant pour faire une place à son amie sur le siège près de la fenêtre.

Lady Sheridan et Mirabelle échangèrent un regard lourd de sous-entendus, mais Julia ne s'inquiétait guère de paraître frivole. Pas quand un tel spectacle se déroulait en bas...

Le temps était magnifique pour ce dernier jour d'école, et toutes les croisées du pensionnat, grandes ouvertes, laissaient librement circuler l'air printanier. Eleanor baissa la voix, de crainte que d'autres ne les entendent.

— Oh, regarde, mais regarde donc ! As-tu déjà vu créature aussi divinement parfaite ?

Julia dut bien reconnaître que non ; du moins, pas depuis la dernière fois que le jeune Lord Sebastian était venu rendre visite à sa sœur, Lady Honoria.

— Ses cheveux brillent comme de l'or massif, murmura dévotement Eleanor. Et quelle carrure !

Julia contemplait elle aussi le jeune homme élancé, mais songeait moins à sa chevelure dorée et à son élégant port de tête qu'à son regard lumineux, d'un bleu proche de celui de ses yeux à elle, le bleu, selon certaines camarades particulièrement imaginatives, du saphir de la broche que Mme Vieuxvincent agrafait sur sa robe dans les grandes occasions comme aujourd'hui : elle revoyait ces yeux, de la couleur du ciel qui auréo-lait Apollon, ce jour inoubliable où leurs regards s'étaient pour la première fois croisés...

Ils avaient fait connaissance l'automne dernier, lors du spectacle de l'école, quand Lord Sebas-tian Bartholomew, venu d'Oxford rendre visite à sa sœur, avait approché Julia pour la complimen-ter sur sa déclamation du *Marmion* de Walter Scott.

— Comme j'envie Lochinvar, mademoiselle Sparks, avait-il déclaré d'une voix non moins mélodieuse, pensait Julia, que celle de Lancelot pour sa belle Guenièvre. Comme je l'envie de voir son nom sur des lèvres si ravissantes !

Elle avait reçu le compliment en silence, sur une muette révérence, mais n'avait pu dissimuler tout à fait son trouble. Et qu'aurait-elle pu dire, en vérité ? Eleanor n'avait pas tort de le compa-rer à un dieu, à Apollon, ou Adonis même... du moins tels que les montrent les tableaux des grands maîtres, dont Madame avait, pour l'édifi-cation de ses élèves, fait accrocher des reproduc-tions dans le salon.

Et Lord Sebastian, ce nouvel Apollon, divinité solaire, avait ainsi d'un seul regard embrasé l'âme entière de Julia, exactement comme Roméo, ravissant à tout jamais le cœur de sa bien-aimée Juliette.

Mais à présent qu'il était de retour, Julia entendait bien ne plus se contenter d'une simple révérence ; non, elle comptait, cette fois-ci, l'impressionner par son esprit et son sang-froid.

Elle se félicitait de sa nouvelle coiffure relevée ; elle portait encore les cheveux tressés à leur première rencontre, comme une véritable enfant ! Qu'avait-il dû penser d'elle ? Sans parler de ces horribles taches de rousseur, auxquelles elle ne voyait, pour l'heure, aucun remède : il lui faudrait attendre d'arriver à Londres, où elle saurait bien se procurer de la poudre, pour les dissimuler.

— Je me demande s'il était présent, ce matin, quand tu as récité *La Dame du Lac*, dit Eleanor d'un ton pensif en regardant le jeune homme donner des instructions à l'un des domestiques qui chargeaient les malles de sa sœur dans la voiture. Parce que, si c'est le cas, il ne peut qu'être amoureux de toi, maintenant ! Personne ne saurait t'entendre déclamer du Walter Scott sans se mettre aussitôt à t'aimer !

Julia espéra de tout son cœur que son amie ne se trompait pas.

— Qui est amoureux de Julia ? demanda soudain une voix grave derrière elles.

Les deux jeunes filles se retournèrent de conserve, et, reconnaissant celui qui les apostrophait ainsi, s'empressèrent d'un commun accord de bloquer la vue de la fenêtre.

— Nathaniel, à quoi songes-tu donc ? le réprimanda Lady Sheridan. Combien de fois dois-je te dire de ne pas entrer chez ta sœur sans frapper ?

— La porte était ouverte, protesta le frère aîné d'Eleanor, l'honorable Nathaniel Sheridan.

Il se laissa tomber sur un canapé et scruta malicieusement les jeunes filles.

— Qui est amoureux de Julia ? répéta-t-il.

Confuse, Julia quêta du regard la protection de Lady Sheridan. Nathaniel semblait toujours prendre un malin plaisir à taquiner sans relâche sa sœur et son amie, mais cette dernière, par bonheur, ne le voyait que rarement : le jeune homme avait été, jusqu'à tout récemment, très absorbé par ses études et la préparation d'une licence de mathématiques à Oxford, licence qu'il venait d'obtenir brillamment.

Son diplôme enfin en poche, il était donc désormais libre ; libre de tourmenter à sa guise le pauvre monde, s'entend. Et Julia ne pouvait s'empêcher de le plaindre un peu... le monde, bien sûr, pas le frère d'Eleanor !

Pourtant, elle soupçonnait parfois qu'elle

aurait sans doute trouvé Nathaniel moins exaspérant s'il n'avait pas été aussi agréable à contempler.

Il ne s'agissait pas – à dieu ne plaise ! – d'un autre Apollon, mais si ses yeux – noisette, comme ceux de sa sœur, et non bleus – n'étaient pas surmontés d'un casque de cheveux d'or, il avait tout de même belle allure et le sourire charmant ; Julia ne restait pas insensible à la façon dont une mèche de ses cheveux châtains retombait continuellement, dissimulant son regard. Qu'un garçon aussi irritant puisse être en même temps si bien fait de sa personne passait vraiment l'entendement !

Mais le plus grand défaut de Nathaniel était sans conteste son mépris pour la poésie. N'avait-il pas poussé un jour l'outrecuidance jusqu'à traiter le preux chevalier Lochinvar de « pauvre andouille », affront que Julia n'était pas près de lui pardonner.

Lady Sheridan désapprouvait heureusement tout autant les manières souvent cavalières de son fils à l'égard de sa sœur et de ses amies que Julia son manque de respect pour les trésors de la littérature.

— N'appelle donc pas Julia par son prénom ! le sermonna-t-elle. Ce n'est plus une pensionnaire, et désormais, tu me feras le plaisir de t'adresser à elle en lui disant « Mademoiselle Sparks », avec la déférence que tu aurais pour une jeune personne inconnue, et non comme à une simple compagne de ta sœur !

— Quant à vous, ma chérie, poursuivit-elle en se tournant vers Julia, vous ne devez pas hésiter à lui donner un bon coup d'ombrelle sur la tête, s'il se montre par trop insupportable !

L'intéressé allait protester quand le frère cadet d'Eleanor, Philip, âgé de dix ans, fit brutalement irruption dans la pièce. Tout entier à la nouvelle qu'il apportait, il ne sembla pas même remarquer la présence des jeunes filles.

— Nat, tu devrais voir le phaéton qui vient d'arriver ! s'écria-t-il au comble de l'excitation. Un attelage de bais identiques, d'au moins dix-huit paumes au garrot, et qui doivent bien valoir chacun une centaine de livres, si ce n'est...

— Philip, vraiment ! s'exclama Lady Sheridan, scandalisée par les manières de ses fils. Un homme bien élevé frappe toujours, avant d'entrer chez une dame !

Le garçon eut l'air sincèrement perplexe.

— Une dame ? Quelle dame ? Ce n'est jamais que la chambre d'Eleanor ! Écoute, Nat, il faut absolument que tu viennes tout de suite ! Ces chevaux...

— S'il vous plaît, mademoiselle !

Tous se tournèrent vers la porte. Martine, la femme de chambre de Julia, se tenait sur le seuil, l'ombrelle et le bonnet de sa jeune maîtresse à la main.

— Mes excuses, mademoiselle, mais Lady Farelly vous demande. Leur voiture vient d'arriver, et vous êtes attendue en bas.

— C'est donc l'attelage de Lord Farelly !

Philip eut un sifflement d'admiration.

— J'aurais dû m'en douter !

Son frère, lui, réagit tout autrement : d'un bond, Nathaniel quitta le fauteuil où il se vautrait un instant auparavant.

— Lord Farelly ! Par tous les... ! s'étrangla-t-il. Ne me dites pas, Julia, que vous allez chez les *Bartholomew* !

— Et pourquoi n'irais-je pas ? riposta Julia en prenant le bonnet que Martine lui tendait. Ce sont des gens extrêmement agréables !

— Extrêmement riches, plutôt, s'exclama Philip. Je comprends que Julia veuille aller vivre chez eux, avec des bais pareils !

La patience de Lady Sheridan semblait à bout.

— Philip ! Il est malséant de faire des com-

mentaires sur la fortune des uns et des autres !
Quant à toi, Nathaniel, ne t'ai-je pas à l'instant
ordonné de dire « Mademoiselle Sparks », et non
« Julia » ?

— Et sache, Philip, enchaîna sa sœur qui n'entendait pas être en reste, qu'il est parfaitement
ridicule de penser que Julia ait pu choisir de préférer l'invitation des Bartholomew à la nôtre
parce qu'ils sont plus riches que nous ! Comment
oses-tu la juger ainsi, notre Julia ? Cela n'a rien à
voir, c'est juste qu'elle est amoureuse de Lord
Seb...

— Eleanor ! s'écria Julia.

Trop tard. Le mal était fait.

— C'était donc de *ça* que vous parliez quand
je suis entré !

Nathaniel repoussa la mèche sombre de son
front et foudroya Julia du regard.

— Eh bien, pour votre gouverne, sachez que
Sebastian Bartholomew n'est qu'un vil... qu'un vil
rameur !

Furieuse d'entendre parler de son idole sur ce
ton dédaigneux, Julia eut un hoquet d'indignation, mais elle s'expliquait mal, à vrai dire, en quoi
le fait de rejoindre le club nautique de l'université
pouvait être considéré infamant. Elle n'était pas
moins irritée contre son amie, qui venait de tra-

hir étourdiment son secret. Elle s'était rarement sentie aussi contrariée, mais Mme Vieuxvincent répétait souvent à ses élèves que la colère ne sied pas à une dame, et Julia tenta donc, sans grand succès, de reprendre le contrôle de ses émotions.

— Vous devriez avoir honte de parler de lui sur ce ton, protesta-t-elle avec vivacité, quand vous ne le connaissez même pas !

— Je le connais bien mieux que vous, au contraire, répliqua Nathaniel. Nous étions dans le même collège, à Oxford.

— Et alors ? Quand bien même ce serait un rameur ? Cela me paraît au moins aussi amusant que ce que *vous*, vous faisiez à Oxford !

— Vous faites sans doute allusion à mes études ? dit Nathaniel avec un rire amer. Oui, vous avez raison sur ce point : Bartholomew s'est *bien amusé* à Oxford, certainement plus que moi !

Julia ne comprenait pas très bien ce qu'il entendait par là, mais cette déclaration redoubla sa fureur. Comment osait-on parler ainsi d'Apollon ? Elle fut saisie d'une brusque envie de fracasser un objet contre le mur, mais elle se trouvait présentement dans la chambre d'Eleanor, où elle ne pouvait rien briser sans que cela tire à conséquence ; elle dut donc se contenter de trépigner de rage.

— Vous en parlez comme s'il s'agissait d'un propre-à-rien ! s'indigna-t-elle.

— C'est vous qui l'avez dit, répliqua Nathaniel. Pas moi !

— Ne fais pas attention à lui, Julia, conseilla Eleanor. Simplement, Lord Sebastian adore comme toi la poésie, et tu sais ce que Nat pense des poètes !

Lady Sheridan s'interposa entre son fils et l'amie de sa sœur. Dressés l'un en face de l'autre, bras croisés sur la poitrine, les jeunes gens se dévisageaient d'un air courroucé.

— Toute poésie mise à part, intervint-elle, êtes-vous bien certaine, Julia, que votre oncle approuve ce séjour chez Lord et Lady Farelly ?

Julia la regarda avec surprise.

— Mon oncle, quel oncle ?

— Le Rouspéteur, voyons, expliqua Eleanor.

— Oh, vous voulez parler de Lord Renshaw ? Ce n'est pas mon oncle, Lady Sheridan, vous savez, mais un simple cousin... et aussi mon tuteur. Oui, il sait que j'ai accepté l'invitation des Bartholomew. C'est un homme âgé, un vrai rabat-joie – elle lança à Nathaniel un coup d'œil aigu – mais *lui*, au moins, ne professe pas une aversion stupide pour l'art et ses beautés !

Nathaniel allait pour répliquer vertement quand sa mère, le devançant, reprit la parole.

— Tout est donc pour le mieux ! Si le tuteur de Julia est au courant, et s'il n'y trouve rien à redire, je ne pense pas, Nathaniel, que nous puissions nous opposer à ce que...

— Détrompez-vous, maman ! Il y trouve bien à redire, pouffa Eleanor. Le Rouspéteur n'a cessé de récriminer depuis qu'il a compris que Julia n'avait pas l'intention de venir vivre chez lui et son affreux Mollusque ! N'est-ce pas, Julia ?

Lady Sheridan leva les yeux au ciel.

— Eleanor, dit-elle. Je te prie de ne pas appeler Lord Renshaw le Rouspéteur, ni son fils le Mollusque !

— Pourquoi donc, maman ? demanda la jeune fille étonnée. C'est pourtant bien trouvé !

— Il n'empêche, je te saurais gré de...

— Mademoiselle !

Martine s'éclaircit la voix.

— Pardonnez-moi de vous interrompre, mais Lady Farelly attend !

Julia se tourna vers Lady Sheridan. Elle n'avait pas imaginé qu'elle aurait ainsi à quitter un jour ceux qui s'étaient montrés si bons pour elle durant toutes ses années de pensionnat ; elle se consola en songeant qu'elle retrouverait Eleanor à Londres, où les jeunes filles seraient sans doute invitées aux mêmes bals et soirées ; il faudrait alors, malheureusement, aussi compter sur la présence de Nathaniel, que Julia avait la ferme intention de traiter avec la froideur et la condescendance qu'il méritait. Songez donc, oser parler d'Apollon en ces termes !

— Je dois partir maintenant, dit Julia à regret. Puis-je me permettre de venir voir Eleanor à l'occasion, quand vous serez de retour à Londres ?

— Bien entendu ! Venez nous rendre visite aussi souvent qu'il vous plaira, ma chérie, approuva Lady Sheridan en étreignant la jeune fille. Et n'oubliez pas que, s'il vous arrive, pour quelque raison que ce soit, de changer d'idée quant à ce séjour chez les Bartholomew, notre porte vous est toujours ouverte.

Pleine de gratitude, Julia serra la brave dame sur son cœur. Elle évita de croiser le regard de Nathaniel, qui continuait à la fixer d'un air sévère. Bien qu'insupportablement taquin, le frère d'Eleanor était aussi très, très intelligent, ce dont témoignaient ses diplômes, mais elle savait que, quant à la poésie et Lord Sebastian Bartholomew, c'était elle, et non lui, qui avait raison.

Et elle le lui prouverait, d'une façon ou d'une autre !

Chère Mamie,

J'espère que les cadeaux que je vous ai envoyés sont bien arrivés. Le châle est en soie véritable, et le tuyau de la pipe pour Puddy en ivoire ! Ne t'inquiète pas pour la dépense, je les ai achetés sur mon argent. Je séjourne chez les Bartholomew – dont je t'ai parlé dans ma dernière lettre – et ils ne me laissent rien payer ; Lord Farelly insiste pour tout régler lui-même. C'est un homme extrêmement généreux, et un passionné du chemin de fer et des locomotives. Il affirme qu'un jour, le pays sera quadrillé de voies ferrées, et qu'il sera possible de partir un matin de Brighton et d'arriver le soir même à Édimbourg !

Sans doute trouves-tu, comme moi, cela un peu difficile à croire, mais c'est en tout cas ce qu'il soutient.

Julia s'interrompit pour relire sa lettre en mordillant pensivement l'extrémité de sa plume.

Mamie n'était bien sûr pas sa véritable grand-mère, ses grands-parents ayant tous succombé à une épidémie de grippe avant sa naissance. Lord Renshaw, la seule personne de sa famille toujours de ce monde, ne s'intéressait pas aux petites filles et n'aurait su en élever une, et Julia avait donc été confiée, jusqu'à ce qu'elle soit en âge d'aller à l'école, à l'épouse du gérant de l'Abbaye de Beckwell, la propriété de son père. C'était vers cette brave femme – et vers son mari, que la jeune fille appelait affectueusement Puddy – qu'elle avait pris l'habitude de se tourner, quand elle se sentait le besoin d'un conseil ou d'une consolation. Tout comme Julia, le couple vivait, assez modestement, des revenus apportés par la location des champs moutonnants des terres de l'Abbaye aux fermiers des environs, qui y faisaient paître leurs troupeaux.

Depuis un mois pourtant, Julia se voyait entourée d'un luxe et d'une opulence qu'elle n'avait jamais connus auparavant : les Bartholomew s'avéraient tout aussi riches, sinon plus encore, que ne les avait décrits Philip Sheridan.

Mais ce que le jeune garçon ignorait, c'était qu'ils étaient également extrêmement, pour ne pas dire excessivement, généreux. Julia voyait le moindre de ses désirs immédiatement exaucé. Elle avait vite dû apprendre à réprimer ses exclamations d'admiration devant les bonnets ou les colifichets des boutiques où elle accompagnait Honoria, de crainte de se voir offrir sur-le-champ l'objet convoité. Elle ne pouvait pas les laisser lui faire sans arrêt des cadeaux... d'autant qu'elle aurait été bien en peine de leur rendre la politesse.

En outre, elle n'avait pas *réellement* sans cesse besoin de nouvelles robes et rubans. Par nécessité habile couturière, elle avait appris, en l'agrémentant d'un volant ou de nouvelles manches, à métamorphoser une quelconque vieille robe jusqu'à lui donner l'apparence d'une création sortie d'une maison de couture parisienne ; en modiste avisée, elle savait aussi, avec une rose en soie ou quelques cerises artificielles artistement disposées, faire d'un bonnet démodé une coiffure d'une élégance incomparable.

Elle contempla la feuille en se demandant s'il

convenait de parler d'Apollon. Cela semblait une bonne idée, dans la mesure où, si les choses continuaient sur leur lancée, Sebastian Bartholomew allait probablement être amené à jouer dans leurs existences à tous un rôle important. Julia, qui avait grandi dans un univers presque entièrement féminin, ne savait pas grand-chose des garçons, mais il lui semblait avoir remarqué que le frère d'Honoria se montrait *particulièrement* attentionné envers elle, depuis son arrivée : il accompagnait les jeunes filles presque partout, quand il ne tenait pas compagnie à ses propres amis, comme la plupart des jeunes gens grands amateurs de jeux, de paris et de chevaux. Nathaniel Sheridan était bien le seul à mépriser ces divertissements : constamment pris par l'administration des nombreuses propriétés de son père, il ne s'autorisait jamais le loisir d'une partie de whist ou de bagatelle.

Apollon, lui, était toujours le premier à inviter Julia, au bal comme au cotillon, et il lui arrivait même de l'approcher *deux fois* lors d'une même soirée. Danser à trois reprises avec un jeune homme sans lui être fiancée aurait bien entendu causé un scandale, il n'en était même pas question.

Et chaque fois, Julia, éperdue de joie, en venait à douter qu'il puisse y avoir, dans tout Londres, une jeune fille aussi heureuse qu'elle. Aussi incroyable cela puisse-t-il paraître, elle était parvenue à ses fins, à savoir impressionner, par son charme et son esprit, le jeune vicomte de Farnsworth – titre actuel de Lord Sebastian, qui, à la mort de son père, deviendrait le nouveau comte de Farelly. Elle ignorait comment – sans poudre au nez – elle avait pu accomplir un tel miracle, mais elle ne croyait pas se bercer d'illusions : de toute évidence, Apollon l'admirait, ne serait-ce qu'un peu. Julia, avec l'aide de Martine, relevait maintenant tous les jours ses cheveux, ce qui y était sans doute aussi pour quelque chose.

Julia n'attendait plus à présent, pour s'avouer inconditionnellement et définitivement heureuse, qu'une demande en mariage d'Apollon. S'il se déclarait – non, *quand* il le ferait, *quand* ! – elle savait qu'elle dirait oui.

Elle redoutait cependant un peu, tout au fond d'elle-même, de ne jamais voir arriver cette demande : somme toute, elle était sans fortune, et ne pouvait se recommander que d'un physique agréable et d'un goût certain dans le domaine de la mode, et il fallait bien reconnaître que les jeunes gens à la fois aisés, titrés et d'aimable figure n'avaient pas pour habitude de demander la main des jeunes filles pauvres comme Julia – même issues de bonnes familles et ayant, par ailleurs, reçu une excellente éducation. Les mariages d'amour étaient bien jolis, mais mourir de faim, leur rappelait souvent Madame, se révélait immanquablement fort désagréable. Un fils qui se mariait sans tenir compte des directives de son père risquait de se voir privé de subsides, et que l'on puisse ne vivre que d'amour n'était qu'une fable, rien de plus : l'amour à lui seul ne vous nourrissait pas.

La famille de Lord Sebastian ne paraissait toutefois pas chercher à faire obstacle à ce mariage. Lord et Lady Farelly semblaient aimer prodigieusement la jeune fille et n'avaient pas tardé à l'inclure dans toutes leurs conversations, tout comme si elle faisait vraiment partie de la famille ; il leur arrivait même parfois, abandonnant toute formalité, de l'appeler « Julia », au lieu de « Mademoiselle Sparks ».

Il n'y aurait donc probablement aucune difficulté de ce côté-là, quand Lord Sebastian se déciderait à lui faire sa demande. Mais la ferait-il ? Demanderait-il la main d'une jeune fille plus jolie que réellement belle ? D'une pensionnaire au nez constellé de taches de rousseur, qui ne portait que depuis peu les cheveux relevés ? D'une orpheline, qui ne pouvait s'enorgueillir que d'une propriété dans le Northumberland et d'une vaste connaissance des poètes romantiques ?

Pourtant il *devait* la demander en mariage, il le *fallait*, tout simplement ! Pour Julia, cette évidence s'imposait tout comme, par exemple, le fait qu'un vêtement terre de Sienne ne peut qu'enlaidir une femme rousse.

La seule ombre véritable dans l'existence par ailleurs sans nuages de Julia était donc portée par Nathaniel Sheridan, qui saisissait la moindre occasion – et elles ne manquaient pas, car ils fréquentaient les mêmes cercles – pour la taquiner et chercher à la faire enrager à propos de Lord Sebastian.

Elle s'efforça de chasser Nathaniel de ses pensées et poursuivit sa lettre en décrivant par le menu les innombrables mérites d'Apollon (qu'elle appelait par écrit plus correctement « Lord Sebastian » ; la jeune fille n'utilisait son surnom favori qu'avec Eleanor) ; ainsi, lorsqu'elle écrirait par la suite à Mamie pour lui annoncer leurs fiançailles – oh, pourvu qu'elles aient lieu ! –, la nouvelle ne lui causerait pas un trop grand choc. Elle en était au talent incomparable d'Apollon pour la danse quand le divin lui-même pénétra dans la pièce. Julia dissimula à la hâte sa lettre sous l'écritoire.

— Bonjour, mère, dit-il en se penchant pour embrasser Lady Farelly.

Vêtue d'une somptueuse robe de satin bleu, qui ne valait sans doute pas moins que l'un des nouveaux chevaux de chasse dont son mari se montrait si fier, assise à un petit secrétaire, celle-ci rédigeait son propre courrier.

— Je vais à Tatt's, voir quelqu'un au sujet d'un cheval. Désirez-vous que je vous rapporte quelque chose, par la même occasion ? demanda-t-il.

Lady Farelly, tout absorbée par sa lettre, dans laquelle elle se voyait au regret de devoir décliner certaines des trop nombreuses invitations pour divers bals et divertissements que recevait Honoria, murmura distraitement une réponse inintelligible. À ses débuts en société, une jeune fille pouvait être conviée à une vingtaine d'événements mondains par semaine, et se devait donc de choisir avec le plus grand soin les endroits où il convenait d'apparaître : à la moindre erreur, une débutante risquait en effet de se retrouver associée au mauvais groupe, ce à quoi il était difficile, sinon parfois impossible, de remédier par la suite.

Ses devoirs filiaux ainsi remplis, Apollon se

tourna vers les jeunes filles. Le frère et la sœur ne se taquinaient pas constamment, contrairement à Nathaniel et Eleanor Sheridan, et le vicomte ne se départait jamais d'une invariable courtoisie à l'égard d'Eleanor, comportement que Julia considérait adéquat pour une créature aussi parfaite.

— Et quels sont vos projets pour aujourd'hui, mesdemoiselles ? s'enquit-il.

La question semblait s'adresser surtout à Julia, mais Honoria, qui feuilletait distraitement un numéro du *Lady's Magazine*, se chargea de répondre. La jeune fille n'aimait pas écrire et n'avait pour ainsi dire aucun correspondant ; d'un naturel assez froid et distant, elle ne s'était liée d'amitié, chez Madame, qu'avec Julia, mais celle-ci savait que la réserve de sa compagne cachait en réalité une timidité maladive, qui prenait racine dans les affres que lui causaient les traits quelque peu chevalins de son visage.

— Nous irons à la garden-party de Stella Ashton, dit Honoria sans enthousiasme. Puis, après dîner, à Almack, bien sûr.

— Ah, c'est vrai, nous sommes mercredi ! Je l'avais complètement oublié !

Apollon sourit à Julia. Assise au petit bonheur-du-jour près de la fenêtre qu'elle s'était appropriée, d'où elle pouvait observer le jardin en contrebas, elle s'efforça au calme, et se félicita de si bien savoir dissimuler combien son cœur s'était emballé en le voyant entrer, élégamment vêtu de son habit vert chasse et cravaté de blanc immaculé.

— Serait-il présomptueux de ma part de suggérer que nous oubliions Almack, juste pour une fois ? J'ai eu mon content de salons bondés, et je les troquerais volontiers contre un peu d'air frais, pour changer !

Julia ne goûtait pas plus que lui l'atmosphère étouffante et la foule des bals et des réceptions.

> *— Il est un plaisir dans les bois sans chemins,*
> *Il est une extase sur le rivage solitaire,*
> *Il est une société où nul ne fait intrusion,*
> *Au bord de la mer profonde, et une musique dans son grondement*[1], déclama-t-elle, enchantée.

Mais, loin de compléter comme il se doit le dernier vers par : *Je n'en aime pas moins l'Homme, mais la Nature davantage*, le jeune homme partit d'une exclamation admirative.

---

1. Lord Byron, *Le chevalier Harold*, chant 4. Traduction de Roger Martin, Aubier, éditions Montaigne, Paris, 1949. *(Toutes les notes sont de la traductrice.)*

— Splendide, vraiment splendide ! C'est vous qui venez d'inventer ça ?

Julia se sentit légèrement – très légèrement – déçue.

— Non, c'est de Byron, répondit-elle doucement.

— Ah oui ? C'est rudement bien, pourtant ! dit Lord Sebastian avec indifférence.

Il tendit la main vers une coupe de fruits sur un guéridon, s'empara d'une pomme et croqua à grand bruit.

— Il y avait une telle presse là-bas, la semaine dernière, que ça en devenait insupportable. Ne pouvons-nous pas aller ailleurs, tout simplement ?

Lady Farelly eut l'air horrifiée.

— Après tout le mal que je me suis donné pour nous procurer des tickets ? Il n'en est pas question ! refusa-t-elle d'un ton catégorique avant de se replonger aussitôt dans sa correspondance.

Apollon cligna de l'œil en direction de Julia.

— Très bien, s'il le faut absolument ! soupira-t-il. Je suppose que je survivrai, si du moins, Miss Sparks, vous voulez bien m'accorder la première et la dernière danse.

Julia se sentit rougir, et le plaisir de l'invitation

éclipsa aussitôt sa déception de découvrir Lord Sebastian si ignare en matière de poètes romantiques.

— Comme vous voudrez, répondit-elle pourtant avec une modestie affectée que n'aurait pas désavouée Mme Vieuxvincent.

Lord Sebastian partit donc, tout sourire, pour le marché de chevaux de Tattersalls et Julia, non moins ravie, retourna à sa lettre. Où en était-elle déjà ? Ah oui, décrire Apollon à Mamie ! Mais comment dépeindre ces yeux splendides, l'aisance de ce sourire ? La tâche s'avérait pour le moins ardue, et elle en venait à douter que Lord Byron lui-même puisse s'en tirer avec honneur.

Julia détaillait donc, pour ses amis de l'Abbaye, les diverses qualités de Lord Sebastian, quand le majordome de Lord Farelly entra, annonçant la visite de deux autres personnes que la jeune fille avait gratifiées d'un surnom : Lord Renshaw, son cousin (le Rouspéteur), accompagné de son fils Harold (le Mollusque), qui tous deux, lui dit-on, l'attendaient dans le salon de réception.

Elle reposa la plume avec une grimace. Lord Renshaw et Harold étaient bien les dernières personnes qu'elle souhaitait rencontrer, mais il paraissait difficile de refuser à ses deux seuls parents toujours en vie, fût-ce de lointains cousins, quelques minutes d'entretien.

Elle lissa donc sa robe et tapota légèrement sa coiffure avant de quitter dignement la pièce, tête haute et épaules bien en arrière, comme le recommandait Madame, pour qui une dame se devait de toujours conserver un maintien parfait et, quelle que soit son aversion, de ne jamais avoir l'air moins que ravie de recevoir des visiteurs.

— Lord Renshaw, je suis bien aise de vous voir ! déclara Julia en tendant la main au petit homme chétif et tiré à quatre épingles qui piétinait nerveusement près de l'une des magnifiques cheminées de marbre de la pièce.

Ni la fortune ni la nature n'avaient souri à la naissance de Norbert Blenkenship – devenu Lord Renshaw grâce au père de Julia, qui avait légué son titre à ce parent, mais tous ses biens à sa fille. L'homme était parvenu à surmonter le premier de ces inconvénients en épousant une héritière qui avait eu la présence d'esprit de rendre l'âme sans tarder ; Julia soupçonnait, assez peu charitablement, que la pauvre femme, ouvrant les yeux un beau matin et apercevant son mari, avait poussé sur-le-champ son dernier soupir. Quoi qu'il en soit, le disgracieux personnage avait hérité de toute sa fortune, à l'exception d'une rente allouée à leur unique descendant, Harold.

Les raisons pour lesquelles cette malheureuse avait accepté de lier son sort à celui de Norbert Blenkenship restaient mystérieuses. L'homme était d'une laideur indéniable et, depuis seize ans qu'elle le connaissait, Julia ne l'avait pas une seule fois vu sourire. Ses lèvres minces semblaient définitivement figées en un rictus désapprobateur, et il optait d'ordinaire pour des vêtements d'une teinte aussi sinistre que ceux des employés des pompes funèbres, bien que le décès de sa femme remonte à très longtemps, avant même la naissance de Julia. Ses constantes jérémiades à tout propos, de l'état de sa santé à celui de l'Empire, lui avaient valu son surnom de « Rouspéteur ».

— Julia, vous avez l'air très bien, énonça-t-il lugubrement en pressant faiblement les doigts de la jeune fille avant de les laisser retomber aussitôt. Sauf pour les taches de rousseur ! Vraiment regrettable, ça ! Vous devriez faire plus attention, le soleil peut abîmer définitivement le teint d'une femme ; et vous pouvez remercier le ciel de ne pas avoir, comme moi, succombé à la fièvre qui décime cette misérable ville !

Joignant le geste à la parole, il tira alors de la poche de son gilet un vaste mouchoir de toile, y plongea le nez et entreprit, à grand renfort de soufflements et de raclements, de le débarrasser de ses mucosités. À l'idée que cette main avait sans doute séjourné tout récemment dans le voisinage des narines du Lord, Julia se prit à regretter de l'avoir serrée.

Pendant que Lord Renshaw luttait ainsi contre la fièvre, Julia chercha des yeux son fils, Harold Blenkenship. Le Mollusque, comme elle l'appelait, se targuait d'être un authentique dandy et ne se montrait jamais que vêtu à la toute dernière mode, sans se préoccuper de savoir si cela lui seyait ou non. Le résultat se révélait le plus souvent calamiteux. D'un naturel taciturne et boudeur, il se souciait en outre bien moins de soigner son caractère que son apparence.

Il arborait aujourd'hui un gilet de velours lie-de-vin et des culottes assorties d'une surprenante teinte chartreuse. Si Julia trouva la tenue hideuse, le Mollusque, qui s'admirait complaisamment dans un miroir à l'autre bout de la pièce, semblait plutôt satisfait.

— Bonjour, Harold, comment allez-vous aujourd'hui ?

S'arrachant à la contemplation de son reflet, il se retourna et se figea aussitôt sur place, stupéfait. Il fallut un moment à la jeune fille pour comprendre la cause de cet étonnement : il ne l'avait vue jusqu'à présent que les cheveux tressés, c'était la première fois qu'elle se présentait devant lui coiffée en dame, et, à en juger par son expression, il risquait fort de s'évanouir sous le choc. Julia n'en aurait pas été autrement surprise, elle qui l'avait vu jadis tourner de l'œil devant ce veau à deux têtes qui était né et avait brièvement vécu dans l'une des fermes attenantes à l'Abbaye. Elle ne devait pas avoir plus de six ans à l'époque, mais ce n'était pas trop jeune pour le décréter une vraie poule mouillée, et alors qu'il gisait, gémissant, dans le foin et la fange de l'étable de McGreevey, à attendre que le fermier ne le ranime en lui versant un seau d'eau tiré de l'auge sur la tête, elle l'avait baptisé – *in petto* – le Mollusque.

— J-Ju-Julia..., bégayait-il maintenant en la dévisageant comme si elle était, elle aussi, un monstre.

Convaincue qu'il n'y avait rien de plus sensé à en attendre, Julia se résigna à interroger son père.

— Je suis vraiment ravie de votre visite, mais permettez-moi de vous demander sans plus tarder ce qui vous amène, Lord Renshaw, car il me faut partir incessamment pour une garden-party, lui dit-elle poliment. (Un mensonge éhonté, bien sûr : il restait encore des heures avant qu'elle ne doive rejoindre les autres invités de Stella Ashton, mais le Rouspéteur n'avait probablement jamais, de sa vie, été invité à une garden-party, et il ne risquait pas de savoir vers quelle heure celles-ci commencent habituellement.)

Lord Renshaw avait rangé son mouchoir. Il s'éclaircit la gorge à plusieurs reprises avant de parler.

— Rrreuh, euh oui. Oui. Voyez-vous, il s'est produit une chose plutôt splendide !

— Vraiment ? De quoi s'agit-il donc ?

Julia haussa un sourcil et regarda tour à tour le vieillard et son fils. Elle n'arrivait pas à concevoir ce que le Rouspéteur pouvait entendre par « plutôt splendide » mais, comme il se montrait d'ordinaire ennuyeux à périr, elle supposa qu'il allait lui annoncer quelque chose de tout aussi palpitant qu'une promotion sur la laine de mérinos à Grafton House.

Ce que fit alors Lord Renshaw lui ressemblait si peu que la jeune fille, choquée, en oublia complètement de garder les épaules rejetées en arrière et la nuque bien droite : pour la première fois de son existence, elle voyait le Rouspéteur... sourire.

— Nous avons reçu une proposition, chère petite, répondit-il.

Le sourire n'était pas très convaincant. Il ressemblait à celui d'une marionnette, comme si un accessoiriste invisible tirait au-dessus de lui des fils reliés aux commissures de ses lèvres, pour les tordre vers le haut, et non vers le bas comme à l'accoutumée. Il avait l'air, pour tout dire, assez effrayant.

— Une proposition ? Quelle sorte de proposition ? De quoi parlez-vous donc, milord ? demanda-t-elle bravement.

— Pour l'Abbaye, bien sûr ! Une proposition d'achat pour l'Abbaye de Beckwell !

Et Julia vit, à sa grande horreur, son sourire se fendre de plus belle.

3

— L'Abbaye n'est pas à vendre !

C'est ce qu'avait répondu Julia à son tuteur quand elle avait appris, avec stupéfaction, que celui-ci avait été approché par des gens voulant acheter sa maison. *L'Abbaye n'est pas à vendre.*

Ce n'était pas plus compliqué que ça. En y repensant ce soir-là, alors qu'elle tournoyait dans les bras d'Apollon dans le grand salon d'Almack, Julia se disait qu'elle n'aurait pu s'exprimer plus clairement : *L'Abbaye de Beckwell n'est pas à vendre.* Point final.

Sauf que le Rouspéteur n'en était pas resté là : intarissable, il arguait que Julia était folle de ne pas y réfléchir plus avant ; que l'Abbaye n'était qu'une bâtisse mal conçue, délabrée et d'un style douteux ; qu'elle accusait son âge, plus qu'avancé, et avait en outre l'inconvénient d'être située à seulement une dizaine de miles de Killingworth, ville minière qui, depuis la découverte et l'exploitation de son gisement de charbon, déversait dans le ciel un brouillard de fumées grises qui l'obscurcissaient constamment, même par très beau temps ; et qu'on ne ferait jamais à Julia de meilleure proposition que cette offre de douze mille livres, déjà très généreuse.

Mais, malgré tout, malgré son indéniable vétusté et sa malheureuse proximité avec la houillère, l'Abbaye de Beckwell représentait pour Julia son foyer ; c'étaient là sa maison et ses terres, et non seulement les siennes, mais aussi celles de Mamie et Puddy, ainsi que de la demi-douzaine de fermiers alentour.

— Tâchez de comprendre, Julia ! lui avait répété Lord Renshaw avec ce qui, chez un être aussi intrinsèquement morne, aurait presque pu passer pour de l'animation. Douze mille livres, on vous en donnerait douze mille livres !

Cela représentait en effet une somme considérable, compte tenu du fait que Julia ne disposait que d'une centaine de livres de rente par an ; et il ne se trompait certainement pas lorsqu'il affirmait que la jeune fille pourrait aisément vivre sur les seuls intérêts du montant de cette vente, pour peu qu'on l'investisse judicieusement.

Simplement, c'était lui qui ne comprenait pas : ni l'Abbaye ni aucune des terres attenantes, comme elle le lui avait rappelé à maintes reprises, n'étaient à vendre. Les fermiers dépendaient de Julia, qui leur louait les pâturages. Où donc les pauvres bêtes brouteraient-elles, si elle les abandonnait ?

— Des moutons ? Vous venez me parler de *moutons*, pauvre inconsciente, quand *douze mille livres* sont en jeu ! s'était-il exclamé devant le refus de Julia.

La jeune fille, qui appréciait assez peu de s'entendre traiter de « pauvre inconsciente », comprenait mal en quoi la décision de vendre ou non l'Abbaye pouvait concerner Lord Renshaw : il ne saurait en escompter aucun bénéfice, puisque la propriété lui appartenait à elle. Quoi qu'il en soit, elle avait poliment informé le Rouspéteur (car Madame insistait toujours très sévèrement sur la politesse, ingrédient essentiel, selon elle, de toute conversation, et à plus forte raison d'un entretien avec des proches déplaisants) qu'elle n'avait pas la moindre intention de céder l'Abbaye, et qu'elle le priait de bien vouloir transmettre cette réponse, accompagnée de ses sincères regrets, aux acheteurs potentiels.

Affirmer que cela avait plongé son tuteur dans une colère noire serait tout aussi en deçà de la réalité que de dire, par exemple, que la foule comprimait, à Almack, ce soir-là, les invités comme des sardines dans leur baril. Julia, qui avait bien cru un instant que son cousin allait la mordre, s'était efforcée de prêter patiemment l'oreille à ses récriminations, mais elle n'avait pas tardé à perdre le fil et avait dérivé jusqu'à songer plutôt à Lord Sebastian et ses yeux myosotis, ce qui était, il faut le dire, infiniment plus agréable.

Une voix harmonieuse la tira de ses réflexions.

— Vous me semblez distraite, Miss Sparks.

Elle leva les yeux et retrouva ce regard d'azur qu'elle évoquait le matin même, lors de la mercuriale du Rouspéteur. Elle qui n'avait eu, pendant son entretien avec Lord Renshaw, qu'Apollon en tête, ne parvenait plus, maintenant qu'elle tournait dans ses bras, à chasser le Rouspéteur de son esprit. N'était-ce pas par trop rageant !

— Je suis désolée, pardonnez-moi, s'excusa-t-elle alors qu'ils attendaient pour défiler entre les deux rangées de danseurs alignés de chaque côté de la piste. Je songeais à mon tuteur, qui me disait ce matin même que quelqu'un voulait acheter l'Abbaye de Beckwell.

Apollon parcourait la salle d'un regard satisfait ; il semblait s'amuser énormément et avait visiblement oublié tous ses griefs contre l'atmosphère trop confinée des salons d'Almack.

— Voilà une bonne nouvelle, n'est-ce pas ? répondit-il.

Hausser les épaules n'aurait pas été très féminin.

— Je ne vois pas en quoi, se contenta de rétorquer Julia.

— Bien entendu, si l'offre n'est pas assez intéressante, vous ne devez pas hésiter à la refuser ! (Leur tour étant venu, le jeune homme lui tendit le bras.) Comme ce type chez Tatt's, ce matin, qui me soutenait que son cheval n'avait aucun défaut, alors que même un aveugle aurait pu voir qu'il était ensellé !

Elle essaya de lui expliquer que le problème ne venait pas du montant de l'offre, que c'était là une question de *principe*, mais le jeune homme eut l'air complètement désorienté. Sans doute trouvait-il difficile de se concentrer simultanément sur un quadrille et une conversation sérieuse. Force fut donc à Julia de patienter jusqu'à l'arrivée d'Eleanor pour trouver enfin une oreille compatissante à qui confier ses soucis.

— Quelle horreur ! s'exclama celle-ci. Et tu dis qu'il est venu avec le Mollusque ? Que portait-il cette fois ?

— Du velours vert chartreuse, répondit Julia, qui dut attendre la fin de la crise de fou rire de son amie pour poursuivre. Je ne comprends pas, tout simplement !

— Je sais ce que tu veux dire, dit Eleanor. Personne ne porte du vert chartreuse impunément !

— Non, je parle de l'Abbaye, rectifia son amie. Pourquoi quelqu'un voudrait-il acheter l'Abbaye de Beckwell ? C'est insensé !

— Quand même, douze mille livres !

Eleanor secoua la tête.

— C'est vraiment beaucoup d'argent, Julia !

— *Toi aussi, Brutus ?* répliqua celle-ci, interloquée.

Son amie lui jeta un regard perplexe.

— Souviens-toi, voyons ! *Jules César*, que nous avons étudié pas plus tard que le trimestre dernier !

— Comment peux-tu parler d'empereurs romains quand on te propose une somme pareille ?

Eleanor secoua la tête.

— Pense donc, Julia, des années de gants de dentelle !

Apollon réapparut, tenant deux coupes de punch. Il en tendit une à Julia.

— Voici, Miss Sparks ! Ça a un goût affreux, mais ça fait de l'effet !

Julia sourit. Sirotant sa boisson, elle surprit un regard admiratif d'Eleanor. Non, elle n'avait aucune raison, objectivement parlant, de se sentir si abattue : n'était-elle pas en compagnie du plus bel homme de toute l'assistance ?

Mais que personne – personne – ne semble comprendre son point de vue l'ébranlait un peu. *Peut-être ont-ils raison*, en venait-elle à se dire, *peut-être que je me comporte comme une enfant en refusant. C'est pourtant vrai que cet argent me serait bien plus utile que les pâturages aux moutons ; et une partie de la somme pourrait servir à établir Mamie et Puddy ailleurs, dans un logement plus confortable.* Soudain, Eleanor poussa une exclamation étouffée et lui donna un brusque coup de coude dans les côtes. Julia faillit en renverser son punch sur la chemise immaculée de son cavalier.

— Regarde, Julia, c'est lui !

Étant donné qu'Apollon se tenait là, juste à ses côtés, Julia supposa que ce « lui » ne pouvait désigner que le prince de Galles et elle leva la main pour s'assurer que sa coiffure n'avait pas bougé. Pas question de paraître devant lui rubans dénoués ! Et quel dommage qu'elle n'ait toujours pas de poudre, pour cacher ces affreuses taches de rousseur !

Mais celui qui se frayait un chemin dans la foule pour les rejoindre n'avait rien d'un prince.

— Quelle tuile ! s'exclama-t-elle avec humeur.

Le Mollusque approchait, et Julia revit soudain la scène qui avait suivi le départ en tempête du Rouspéteur courroucé, quand elle était restée en tête à tête avec son affreux rejeton.

— Irez-vous à Almack ce soir ? s'était enquis le Mollusque, qui, remis de son choc à la vue de la jeune fille sans ses tresses, avait enfin recouvré l'usage de la parole.

— Sans doute, avait-elle répondu, un peu surprise.

Depuis l'incident du petit veau, il ne daignait lui adresser la parole qu'exceptionnellement, et c'était la première fois en l'espace de neuf ans qu'il lui disait autre chose que *bonjour* ou *bonsoir*.

Sa surprise avait viré à la stupéfaction en le voyant alors arborer un sourire qu'il croyait probablement irrésistible, mais qui semblait indéniablement louche.

— Puis-je vous demander de réserver la première danse pour votre cousin ?

Julia était sur le point de demander de quel cousin il s'agissait, quand elle avait subitement compris qu'il parlait de *lui-même* ; autrement dit, du Mollusque, de celui qui n'avait jamais considéré sans désapprobation ce qu'il nommait « les manières de garçon manqué de Julia » (enfant, elle se plaisait à lancer des mottes de terre et à grimper aux arbres), et qui s'aventurait à présent à l'inviter à danser ! Que lui arrivait-il donc, lui qui ne cherchait pas, d'ordinaire, à dissimuler son mépris, surtout depuis l'incident de la grange ? En outre, Julia n'avait pas pour habitude d'être approchée par des jeunes gens repoussants, et ce plusieurs heures avant même le début de la soirée !

— C'est-à-dire que... eh bien... avait-elle balbutié, prise de court.

Puis, se rappelant brusquement l'invitation d'Apollon, elle avait pu poursuivre sans mentir, soulagée :

— Je suis vraiment désolée, Harold, mais ma première danse est déjà réservée, ce soir !

Le Mollusque, qui s'était, de toute évidence,

figuré la jeune fille rien de moins qu'enchantée de s'exhiber aux côtés d'un cavalier si élégant et bien mis, avait perdu un peu de sa superbe, mais rassemblant tout son courage, n'en avait pas moins insisté.

— La dernière, dans ce cas ?

Apollon soit loué !

— Vous jouez de malchance, Harold : je l'ai promise, elle aussi.

Le visage finaud du Mollusque s'était figé dans une expression que Julia ne lui connaissait pas. Il semblait plein de... détermination ! Oui, elle aurait dû se méfier, mais il avait quand même réussi à la prendre au dépourvu : pour un individu aussi mou, il pouvait parfois se révéler étonnamment coriace.

— Le Sir Roger, alors ? avait-il demandé alors avec un détachement feint.

Elle n'en croyait pas ses oreilles, bel et bien prise au piège ! Si elle lui faisait maintenant croire qu'elle n'était pas libre non plus pour le Sir Roger (une danse paysanne plutôt turbulente, en vogue dans tous les bals de l'Empire, et probablement aussi, supposait-elle, sur le Continent), et si personne ne venait l'inviter à temps – ce qui était toujours possible –, il saurait qu'elle lui avait menti.

— Vous m'en verrez ravie, Harold, avait-elle donc capitulé.

Et voilà que l'orchestre attaquait les premières mesures, et que le Mollusque venait la chercher. Il avait remplacé son gilet et ses culottes de velours chartreuse par une tenue de soirée plus habillée, mais d'une curieuse teinte aubergine, qui rehaussait impitoyablement la lividité naturelle de son teint.

— Oh, ma pauvre ! murmura dans un souffle Eleanor, compatissante, en le regardant approcher.

— Comme vous êtes ravissante, Julia ! s'exclama-t-il en s'inclinant si bas que son visage frôla presque les genoux de ses culottes violine.

La jeune fille sentit ses joues s'empourprer sans que l'atmosphère, pourtant confinée, du salon y soit pour rien.

— Bonsoir, Harold ! répondit-elle en regrettant de ne pas avoir, juste ce matin-là, choisi de tresser ses cheveux : sans doute l'attitude de son cousin aurait-elle été tout autre.

Elle remarqua à sa grande contrariété qu'Apollon examinait le Mollusque avec incrédulité, sourcils levés, comme s'il ne savait trop que penser de ce jeune homme tout enviolacé. Julia ne pouvait l'en blâmer, elle qui n'en avait jamais été très sûre elle-même.

— Permettez, dit Harold en tendant une main froide, aussi blanche et menue que la sienne.

Une vraie dame, affirmait Mme Vieuxvincent à ses élèves, savait faire contre mauvaise fortune bon cœur chaque fois que les circonstances l'exigeaient. Julia ferma donc les yeux (elle ne se croyait pas la force de supporter la situation autrement) et tendit elle aussi sa main...

...pour la sentir fermement saisie par des doigts bien trop chaleureux pour être ceux du Mollusque.

Elle rouvrit les yeux, et se retrouva enveloppée du clair regard noisette de Nathaniel Sheridan.

— Vous êtes vraiment incorrigible, Julia ! Je ne peux vous laisser seule une minute sans que vous donniez mes danses à d'autres ! gronda le frère d'Eleanor.

La jeune fille restait trop abasourdie pour songer à répondre. De quoi parlait-il donc ? Il ne lui avait pourtant jamais demandé de lui réserver cette danse ! Le Mollusque semblait tout aussi décontenancé.

— Miss Sparks m'a promis le Sir Roger ce matin même ! geignit-il, indigné, à l'adresse de Nathaniel qui le dominait d'une bonne tête.

— Mais elle me l'a promis *à moi* la semaine dernière ! affirma ce dernier avec aplomb.

Sur ce, il guida sans un mot la jeune fille jusqu'à la piste de danse où ils se mêlèrent aux autres couples.

Il fallut un moment à Julia, complètement éberluée, pour reprendre ses esprits et demander à Nathaniel à quoi il pensait et où il se croyait, à snober ainsi son petit-cousin. Les matrones d'Almack étaient bien plus strictes encore que Mme Vieuxvincent : elles ne toléraient chez leurs invités aucun écart de conduite, tout particulièrement quant à l'étiquette de la danse. Malheur à l'étourdie qui acceptait une valse – cette nouveauté osée venue du Continent – sans l'autorisation expresse de l'une des duègnes ! Et malheur aussi à celle qu'un jeune homme accusait de l'avoir snobé ! Si le Mollusque choisissait de rapporter l'incident, Julia se retrouverait en fort mauvaise posture.

— Pas de panique ! dit seulement Nathaniel, plein de sang-froid. Après tout, ce n'est pas comme si vous *vouliez* danser avec lui ! Pensez donc un peu à cette couleur, il a tout d'une betterave !

— Mais tout de même, protesta Julia d'un ton de reproche, que vous vous permettiez de...

— La fréquentation des Bartholomew n'a en rien adouci votre caractère, à ce que je vois, l'interrompit-il.

— Vous savez très bien que j'aurai des ennuis si...

— Il ne me semble pourtant pas vous avoir entendue protester, fit-il remarquer.

Ce dont elle dut convenir. N'importe quel danseur – fût-ce un béotien imperméable à la poésie tel que Nathaniel Sheridan – valait mieux que le Mollusque.

— Et puis, il n'en parlera à personne, assura le jeune homme d'un ton convaincu.

Julia jeta par-dessus son épaule un coup d'œil à son petit-cousin, fulminant à l'autre bout de la salle.

— Qu'en savez-vous ? Ne me dites pas qu'il était, lui aussi, dans le même collège que vous, à Oxford !

Nathaniel sourit, et Julia constata non sans malaise qu'il n'était pas, ainsi, moins beau qu'Apollon, une découverte qui n'avait rien de réjouissant, dans la mesure où il convenait de détester le frère d'Eleanor pour le mépris qu'il affichait à l'égard de Lord Byron... et des rameurs.

— Aucun risque ! Disons simplement que ce genre d'olibrius ne m'est pas inconnu.

Julia songea que la conduite de son petit-cousin montrait bien, en effet, à quel genre d'individu on avait affaire : celui-ci avait gagné, d'un pas lourd de ressentiment, le buffet et avait entrepris d'ingurgiter voracement autant de petits-fours que sa bouche pouvait en contenir, sans cesser de lorgner de loin les danseurs, plein de rancune. Il réagissait exactement comme lorsqu'ils étaient enfants, et que Julia refusait de jouer avec lui parce qu'il se mettait en colère chaque fois qu'elle gagnait une partie ; sauf qu'à l'époque, c'était le fameux pain d'épices de Mamie qu'il bâfrait sans relâche.

— Et puis d'abord, comment en êtes-vous venue à accorder le Sir Roger à Harold Blenkenship ? voulut savoir Nathaniel.

Julia, oubliant momentanément que le dédain du jeune homme pour la poésie lui interdisait d'être en bons termes avec lui, raconta alors à Nathaniel – quand la danse les rapprochait assez pour leur permettre d'échanger quelques mots – son entretien du matin avec le Rouspéteur.

— Vous n'allez tout de même pas vendre, n'est-ce pas ? demanda le jeune homme, lorsqu'ils se retrouvèrent face à face.

Si les convenances et ses préventions contre Nathaniel Sheridan l'avaient permis, Julia lui aurait volontiers sauté au cou pour l'embrasser : il était bien le seul, jusqu'à présent, à réagir ainsi ! Mais un baiser ne manquerait pas de déclencher ici un scandale retentissant, sans compter qu'elle aimait Sebastian Bartholomew, qui ne souhaitait sans doute pas la voir dans les bras d'un autre – ou tout du moins l'espérait-elle.

— Bien sûr que non ! Il est hors de question de céder l'Abbaye, même pour douze mille livres, s'écria-t-elle.

— C'est probablement la raison pour laquelle votre père a choisi de vous la donner, déclara Nathaniel. J'imagine qu'il ne voulait pas que ses terres soient morcelées, et qu'il soupçonnait que votre oncle ne se ferait pas scrupule de les vendre.

— Ce n'est pas mon oncle, répondit-elle machinalement.

Mais la remarque de Nathaniel ne manquait pas de justesse, en un sens, car il était extrêmement inhabituel de ne léguer à un héritier qu'un titre seul, sans domaine. Fallait-il effectivement chercher la raison du curieux testament de son père dans sa défiance envers son cousin Norbert ? Si oui, elle ne saurait l'en blâmer : elle non plus ne se fiait pas au Rouspéteur.

— Le vrai mystère, poursuivit Nathaniel, c'est la raison pour laquelle quelqu'un se montre disposé à dépenser tant d'argent pour acquérir une propriété qui, si j'en crois votre description, n'a pourtant rien de remarquable.

— Oui, cela m'intrigue, moi aussi, car l'Abbaye ne paye pas de mine, il faut bien le reconnaître, approuva Julia. Mais elle représente tout pour moi, et le Rouspéteur est un monstre sans cœur de vouloir la vendre, ajouta-t-elle avec un regain d'indignation.

Nathaniel, qui, n'ayant pas eu à subir les sermons de Mme Vieuxvincent, ne voyait rien de répréhensible à hausser les épaules, ne s'en priva pas.

— Ce n'est pas seulement ça, n'est-ce pas ? Ne considérez-vous pas également l'Abbaye comme votre refuge ? énonça-t-il d'un ton détaché.

Il avait raison : son véritable foyer se trouvait à Beckwell, elle n'en avait jamais eu d'autre. Elle s'était souvent beaucoup amusée au pensionnat, elle avait toujours beaucoup apprécié ses séjours chez les Sheridan et la vie chez les Bartholomew s'avérait délicieuse, mais sa maison à elle, c'était l'Abbaye.

– Avant de voyager sur terre
Vers de lointains sommets
Je ne savais pas, Angleterre

À quel point je t'aimais[1], déclama-t-elle dans un soudain élan.

Nathaniel eut l'air froissé.
— Serait-ce trop demander que d'être exempté de Wordsworth pendant le Sir Roger ?

Julia secoua la tête d'un air hautain, mais ne put s'empêcher, non sans un pincement de cœur, de constater que, même s'il prétendait les mépriser, Nathaniel, lui, connaissait les poètes...

Elle commençait à craindre qu'on ne puisse en dire autant d'Apollon.

Le Sir Roger s'achevait. Lord Sebastian vint la chercher pour la dernière danse, et ses divins yeux bleus chassèrent bientôt des réflexions si déloyales. Ce n'était pas pour rien, après tout, qu'elle l'avait baptisé Apollon !

1. William Wordsworth, *Choix de poésies*. Traduction d'Émile Legouis, Les Belles-Lettres, Paris, 1928.

— Papa, je vous en prie, dites-nous où vous nous menez ! supplia Lady Honoria Bartholomew en trépignant d'excitation sur son siège – cela aurait horrifié Mme Vieuxvincent, qui réprouvait sévèrement le trépignement comme peu distingué.

Lord Farelly prit un air entendu.

— Mais, si je vous le dis, ce ne sera plus une surprise !

Madame n'approuvait pas non plus les piaillements intempestifs, et ne fermait les yeux qu'exceptionnellement, en cas de souris par exemple, mais Lady Honoria ne s'en tourna pas moins vers Julia, assise à ses côtés, avec un petit cri de frustration exaspérée.

— Quel ennui, n'est-ce pas ? Je suis sûre que

toi aussi, tu grilles d'impatience de savoir où nous allons !

Julia s'amusait à faire tournoyer lentement entre ses doigts l'ombrelle de dentelle sous laquelle elle s'abritait des féroces rayons du soleil de cette mi-journée – Madame n'avait jamais rien dit au sujet du tournoiement d'ombrelle.

— Sans doute, sourit-elle.

Elle se sentait, en réalité, tout aussi intriguée que son amie. Lord Farelly s'absentait d'ordinaire pendant la journée, et on le voyait rarement à la maison avant le soir ; Julia, qui n'avait que peu d'expérience des pères et aucun souvenir du sien, supposait que le comte se rendait à son club, car c'était là que les riches aristocrates londoniens passaient le plus clair de leur temps, mais Honoria lui avait appris qu'il disposait également de bureaux dans Bond Street, sans pouvoir préciser ce qu'il y faisait exactement.

Le coup de théâtre avait donc été complet lorsque le comte avait surgi à l'improviste ce matin, juste avant le déjeuner, pour annoncer qu'il leur avait préparé une surprise.

Mais Julia, elle, s'était promis de rester digne et de ne rien laisser percer de son excitation. Elle s'abstint par conséquent de pousser le moindre cri, et à plus forte raison de trépigner, pendant tout le trajet par les rues encombrées de la ville, en route vers cette mystérieuse destination : Apollon avait décidé de profiter de l'occasion pour dégourdir les jambes de sa nouvelle monture et trottait, en ce moment même, aux côtés du phaéton, et la jeune fille s'efforçait de paraître aussi détachée et totalement maîtresse d'elle-même que possible, ce qui n'était pas simple, par une telle chaleur, même si l'ombrelle la protégeait bien un peu.

La robe de mousseline blanche, sur l'ourlet de laquelle elle avait passé la semaine entière à coudre de minuscules guirlandes de myosotis de soie bleue, et son bonnet, orné de rubans assortis, lui seyaient bien, elle le savait ; et si le coût de sa tenue était dérisoire, comparé à celui de la robe de Lady Honoria, elle n'en était pas moins élégante ; Julia avait en outre pris soin de rester le visage à l'ombre ces derniers jours, de sorte que ses taches de rousseur commençaient à s'estomper.

— Ça y est, j'ai compris, c'est Euston Square ! s'écria Honoria, qui était enfin parvenue à s'orienter.

Lady Farelly avait horreur de manquer son déjeuner et était attendue chez sa couturière en début d'après-midi. Elle n'avait accepté de les accompagner que de fort mauvaise grâce. Elle balaya sans enthousiasme les alentours d'un regard las. Pour elle, Londres commençait et finissait avec Mayfair : le reste était tout bonnement assommant.

— J'espère, Jarvis, dit-elle à son mari, que, quel que soit cet endroit, vous avez du moins pensé à faire en sorte qu'il ne s'y trouve pas de singes. Vous savez que je ne peux les souffrir !

Lord Farelly s'esclaffa et assura à sa femme qu'elle n'avait rien à craindre.

La voiture s'immobilisa. La place était envahie par une foule compacte de badauds, massés autour d'une chose que Julia ne pouvait voir. Lord Sebastian, lui, sembla comprendre tout de suite ; il eut un petit rire entendu.

— Bien joué, père ! s'exclama-t-il en mettant pied à terre.

Escortées par un Apollon courtois et suivies de Lord et Lady Farelly, les jeunes filles se frayèrent un passage parmi les curieux, et Julia découvrit enfin la « surprise » : un assemblage de poutrelles métalliques disposées sur l'herbe délimitait un parcours circulaire, sur lequel se dressait une étrange machine au corps cylindrique, surmontée d'un tuyau de cheminée ; des caissons bas, de la taille d'une carriole et montés sur des roues posées sur les poutrelles, étaient accrochés à la file derrière ce monstre. Julia, qui reconnut l'engin pour l'avoir déjà vu sur des illustrations, en resta le souffle coupé.

— Mais... mais c'est une locomotive ! balbutia-t-elle.

— Comme vous dites ! approuva Lord Farelly, rayonnant. Pour une surprise, c'est une belle surprise, n'est-ce pas ?

— Sans l'ombre d'un doute, mon ami, articula Lady Farelly avec un sourire contraint.

Son expression laissait entendre qu'elle aurait de beaucoup préféré une collation de fraises et de champagne au Vauxhall. Elle ne cherchait d'ordinaire pas à cacher qu'elle jugeait l'engouement de son mari pour les chemins de fer presque aussi odieux que les babouins eux-mêmes.

Julia, elle, était captivée. C'était la première fois qu'elle se trouvait en présence d'une vraie locomotive ! Elle avait bien entendu raconter qu'on en utilisait une pour transporter le charbon des mines, près de l'Abbaye, mais n'avait jamais eu l'occasion de la voir. Et voici qu'elle en approchait une à la toucher, en plein cœur de Londres !

— Elle s'appelle le « M'attrape-qui-peut », annonça Lord Farelly aussi fièrement que s'il l'avait construite lui-même, et c'est un dénommé

Trevithick qui l'a inventée. Regardez, on peut même l'essayer, un shilling par tour et par personne !

Effectivement, des gens prenaient place dans les carrioles, avec force gloussements surexcités. Une minute plus tard et le moteur ronflait, l'engin s'ébrouait et hoquetait, avant de se mettre enfin, dans un fracas assourdissant, la cheminée crachant d'énormes nuages d'une épaisse fumée blanche, à tracter les wagonnets le long de la voie. Ceux qui s'y étaient installés firent en riant de grands signes à l'adresse des spectateurs immobiles. La machine roulait à présent à l'allure d'un cheval au trot et accéléra sensiblement en parcourant le cercle.

— Oh, Lady Farelly, s'il vous plaît, pouvons-nous essayer ? implora Julia. S'il vous plaît !

— Certainement pas ! En voilà une idée ! répondit Lady Farelly d'un air choqué.

Légèrement vexée, la jeune fille désigna de la main les passagers du train qui défilait devant eux.

— Mais, Lady Farelly, ce n'est pas dangereux du tout ! Voyez, il y a des enfants !

— Quand bien même, cela n'en devient pas pour autant respectable ! affirma-t-elle dédaigneusement.

— Je doute fort que Mme Vieuxvincent l'aurait permis, renchérit Honoria.

Elle n'avait probablement pas tort sur ce point, mais Julia n'en était pas moins déçue. Ceux qui tournaient sur le M'attrape-qui-peut avaient l'air de tellement s'amuser qu'elle aurait voulu les imiter.

Julia se sentit soudain observée ; elle s'arracha à la contemplation de la locomotive et tourna la tête.

— Souhaitez-vous vraiment faire un tour sur cette machine, Miss Sparks ? demanda Lord Sebastian avec un sourire amusé.

— Oh, oui ! s'écria la jeune fille, enthousiasmée.

Lord Farelly fouilla ses poches.

— Par chance, il se trouve que j'ai quelques shillings sur moi ! déclara-t-il.

— Jarvis ! Vous plaisantez, j'espère ! protesta Lady Farelly en fusillant son mari du regard.

— Mais Virginia, encore quelques années et tout le monde sillonnera sans cesse le pays à bord de tels engins sans que quiconque y trouve quoi que ce soit d'extraordinaire, se justifia-t-il d'un air faussement contrit. Ce n'est qu'une question de temps !

— Tout le monde, peut-être, mais certainement pas moi ! frissonna Lady Farelly.

— Oh, je vous en prie, milady ! insista Julia.
Regardez, ils ralentissent, ils vont s'arrêter. Si
nous y allons maintenant, nous aurons une place
pour le prochain tour !

Lady Farelly leva les yeux au ciel – signe qu'elle
commençait à se laisser fléchir, pensa la jeune fille
qui avait appris, en vivant chez les Bartholomew,
à déchiffrer certaines des mimiques de la com-
tesse.

— S'il le faut vraiment, je suppose que je ne
peux vous en empêcher, soupira-t-elle enfin d'un
air malheureux. Mais si cette maudite invention
s'emballe, fonce dans la foule et vous tue, ne
venez pas vous en plaindre à moi, ajouta-t-elle
tandis qu'Apollon, saisissant la main de Julia,
l'entraînait vers la queue qui se reformait déjà.

Il était si beau, marchant à grandes enjambées
assurées, les cheveux blonds ruisselants de soleil,
que la jeune fille perçut clairement, dans la foule,
les regards envieux des demoiselles de son âge, de
celles que leurs mères n'autorisaient pas à monter dans le M'attrape-qui-peut, et qui n'avaient
pas pour escorte un cavalier aussi élégant. Julia se
hâta de prendre sa place dans la file à son côté

— sans courir, car une dame ne court jamais, du moins en public.

Je suis effectivement emportée par la vie comme un chardon au gré du vent, comme je le disais l'autre jour, pensa-t-elle, *et j'ai vraiment beaucoup de chance ! Plus que toutes les autres réunies !*

Elle se retourna en s'entendant héler et reconnut non loin les Sheridan.

— Que fais-tu ici, Julia ? s'exclama Eleanor, ravie de retrouver son amie. Ne me dis pas que tu vas, toi aussi, essayer cette machine !

— J'y compte bien, répondit Julia avec animation. Lady Farelly m'en a donné l'autorisation !

Lady Sheridan lança à cette dernière un regard pénétrant.

— Tiens donc ? s'étonna-t-elle, mais, remarquant la présence de Lord Farelly, elle se contenta d'ajouter qu'elle se voyait bien aise de constater que ses fils n'étaient pas les seules victimes de cet engouement pour les chemins de fer.

Philip et son frère Nathaniel se tenaient juste derrière leur mère. Julia sourit au jeune garçon.

— N'as-tu pas peur ? lui demanda-t-elle.

Sa réponse fut celle qu'on pouvait en attendre.

— Peur, moi ? De quoi, de *ça* ? Pas du tout ! se récria-t-il dédaigneusement alors que la locomotive s'immobilisait juste devant eux et que les passagers, qui ne semblaient pas trop affectés par leur périple ferroviaire, commençaient à en descendre.

Tous s'esclaffèrent, à l'exception de Nathaniel Sheridan : il fixait Lord Sebastian avec une hostilité que Julia jugea parfaitement injustifiée. Vraiment, cette antipathie que le frère d'Eleanor manifestait à l'égard d'Apollon, simplement parce que celui-ci aimait ramer et maniait, disait-on, plutôt bien l'aviron, était rien de moins que ridicule ! Les deux jeunes gens avaient pourtant bien des choses en commun, à commencer par leur statut de fils aînés et de diplômés d'Oxford, et on aurait pu s'attendre à ce qu'ils sympathisent.

Mais l'homme qui conduisait la locomotive se tournait dans leur direction.

— Aux suivaaants ! appela-t-il.

Julia en oublia aussitôt de regretter que les frères de ses deux amies ne soient pas, eux aussi, amis.

Lord Sebastian tendit au conducteur les shillings reçus de son père. Il aida Julia à monter dans un wagonnet, et la jeune fille prit place sur l'un des bancs de bois. Les frères de son amie s'installèrent dans la voiture suivante.

— Tu ne viens pas avec nous ? demanda-t-elle à Eleanor, qui n'avait pas bougé.

Celle-ci lança un coup d'œil rapide à sa mère, qui fronça les sourcils, et secoua la tête.

— Pas dans cette tenue ! Cet engin m'a l'air bien sale, ma robe serait perdue, dit-elle en caressant du bout des doigts la soie pâle du vêtement.

Julia eut un bref regard inquiet pour sa propre robe et la toute nouvelle bordure de myosotis.

— Aaattention au départ ! Aaaccrochez-vous ! cria l'homme.

L'avertissement n'était pas inutile : le M'attrape-qui-peut s'ébranla si brusquement que la jeune fille fut violemment projetée en arrière ; son bonnet se serait certainement envolé, si elle ne l'avait retenu des deux mains.

— Tout va bien ? s'inquiéta Apollon.

Plein de sollicitude, il posa le bras sur le dossier du siège, juste derrière elle. Déconcertée par ce contact inattendu sur ses épaules, la jeune fille leva la tête, et son trouble s'accrut en voyant le visage de Lord Sebastian si proche, tout à coup, qu'elle pouvait en distinguer nettement, un à un, chacun des beaux cils mordorés !

Le train eut un nouveau soubresaut, et la tête de Julia, cette fois, partit en avant ; elle n'aurait sans doute pas manqué d'être arrachée de son siège, si Lord Sebastian ne l'avait fermement retenue.

Le convoi roulait à présent, et la première pensée de la jeune fille fut qu'Eleanor avait eu tort, et que sa fragile robe de soie blanche ne risquait rien : les nuages blancs déversés par la cheminée de la locomotive devant elle n'étaient pas de la fumée, mais de la vapeur : une barre de métal chauffée au rouge et plongée dans de l'eau propulsait la machine de M. Trevithick. Le monstre avançait maintenant, moteur haletant, à une vitesse vertigineuse, et Julia s'étonnait qu'une chose aussi ordinaire que la vapeur d'eau puisse être à l'origine d'un mouvement si puissant.

Le vent de la course rafraîchissait agréablement le visage de Julia, qui se divertissait à voir apparaître et disparaître en un éclair les sourires stupéfaits et ravis des personnes massées alentour. Jamais encore elle ne s'était déplacée aussi vite ! Elle entendait derrière elle la voix de Philip, qui hurlait qu'on faisait sûrement plus de dix miles à l'heure, et sentait qu'elle vivait là une expérience nouvelle, véritablement exaltante.

D'autant que le long bras musclé de Lord Sebastian entourait ses épaules, la maintenant résolument en place, comme si elle représentait pour lui une chose extrêmement fragile, et peut-être même précieuse. Elle percevait dans son dos les battements du cœur du jeune homme et ne pouvait imaginer rien de plus exquis. N'était-il pas manifeste – indéniable, même – qu'Apollon éprouvait pour elle... non seulement de l'affection, mais aussi... de l'amour ?

Mais les réserves de vapeur du M'attrape-qui-peut s'épuisaient peu à peu, et la locomotive finit par s'immobiliser sur les rails. Les voyageurs descendirent des wagonnets avec force rires et compliments à l'adresse de M. Trevithick ; certains, comme le jeune Philip Sheridan, enthousiasmé, recommencèrent aussitôt à faire la queue ; d'autres, parmi lesquels Julia et Lord Sebastian, restaient à échanger avec animation leurs impressions. Nathaniel Sheridan se contentait de contempler la scène d'un air réprobateur.

Il trouve sans doute cela inconvenant pour une jeune fille, pensa Julia avec ressentiment. Eh bien, si tel était le cas, elle n'entendait pas le décevoir : elle imiterait Philip et irait faire un second tour !

Juste au moment où elle ouvrait son réticule pour y chercher une autre pièce d'un shilling, Honoria la rejoignit, suivie de ses parents.

— Alors, raconte, Julia ! s'écria son amie.

— Oh, c'était absolument délicieux, et j'y retourne immédiatement ! répondit-elle d'une voix assez forte pour être sûre que Nathaniel l'entende.

Lord Farelly éclata d'un rire satisfait.

— Oyez, Virginia, mon amie ! Ne vous l'avais-je pas dit ! Miss Sparks, nous ferons de vous une passionnée des chemins de fer, poursuivit-il en se tournant vers Julia.

— Je crois bien que j'en suis déjà une, avouat-elle, les yeux brillants d'excitation. Mais croyez-vous vraiment, milord, que l'on trouvera un jour ces machines dans tout le pays ?

Lord Farelly était un homme de belle carrure ; passant un bras autour des épaules de Julia et l'autre autour de celles de sa propre fille, il les attira toutes deux contre son gilet de velours vert, dans une vigoureuse étreinte pleine d'affection.

— Sans l'ombre d'un doute, mes chères enfants ! affirma-t-il. Partout en Angleterre, et sur le Continent également... et peut-être même dans le monde entier ! Ceux qui se figurent que le chemin de fer n'est qu'un moyen commode pour transporter du charbon ou du bois n'y ont pas suffisamment réfléchi, car ces trains permettront d'acheminer la marchandise la plus précieuse entre toutes !

Julia sentit son bonnet s'aplatir sous la pression ; elle échangea une grimace comique avec

Lord Sebastian qui, à quelques pas de là, les observait en souriant.

— La plus précieuse ? Vous pensez aux diamants ? demanda-t-elle.

— Vous n'y êtes pas, ma belle enfant !

Lord Farelly relâcha les jeunes filles aussi brusquement qu'il les avait saisies.

— Les gens, les gens, vous dis-je ! Voilà la véritable vocation d'un train : transporter des êtres humains, pour leur permettre de rendre visite à leurs chers parents éloignés.

— Oh, je comprends, dit Julia en remettant en place quelques boucles.

— Si vous en avez bien fini, Jarvis, peut-être pourrions-nous rentrer à la maison à présent ? interrompit Lady Farelly d'un ton las. Je retrouverais volontiers ma côtelette d'agneau, à laquelle vous m'avez si cruellement arrachée pour me forcer à vous accompagner dans cette petite expédition.

Lord Farelly déclara la chose possible, voire souhaitable. Tous prirent donc poliment congé des Sheridan (Julia évita soigneusement de croiser le regard gentiment moqueur d'Eleanor – tout émoustillée à la vue du bras d'Apollon autour des épaules de son amie –, comme celui de Nathaniel, à qui le geste n'avait sans doute pas non plus échappé, puisqu'il était assis dans le wagonnet juste derrière celui de la jeune fille) et s'apprêtaient à partir, lorsque Honoria poussa un cri étouffé.

— Julia ! N'est-ce pas ton oncle, là-bas ?

Se tournant dans la direction indiquée, Julia reconnut en effet, dans la foule massée de l'autre côté de la place, le Rouspéteur et son fils. Les Blenkenship ne s'étaient pas mêlés à la file de ceux qui cherchaient à monter à bord du M'attrape-qui-peut – le premier étant bien trop âgé, et le second trop timoré, pour se lancer dans pareille entreprise –, mais ils n'en avaient pas moins tenu à venir observer les audacieux qui s'y risquaient... et Lord Renshaw semblait assez contrarié de constater que sa propre cousine figurait au nombre.

Zut de zut de flûte ! Ne pouvait-elle donc rien faire sans s'attirer les foudres de ce rabat-joie ?

— Ce n'est pas mon oncle, objecta-t-elle.

Elle leva la main et leur fit signe de loin, puisqu'ils n'étaient pas à portée de voix. (Une dame, s'il fallait en croire Mme Vieuxvincent, ne hélait jamais quelqu'un d'un côté à l'autre d'une place publique.) Le Rouspéteur ne daigna pas répondre, mais le Mollusque agita frénétiquement le bras.

— Mazette, Julia ! s'exclama Honoria alors que les deux amies regagnaient la voiture des Bartholomew. M. Blenkenship a vraiment l'air d'en pincer pour toi !

Il fallut un moment à la jeune fille pour comprendre ce que voulait dire son amie, et quand elle comprit, elle en fut si horrifiée qu'elle s'arrêta net pour la dévisager avec incrédulité.

— Harold ? *Harold !* Oh, tu plaisantes, j'espère !

— Pas du tout ! répondit Honoria, perplexe. Je l'avais déjà remarqué à Almack, l'autre soir. Il te regarde un peu comme papa regarde... le M'attrape-qui-peut. Je crois bien qu'il est amoureux de toi !

Julia réprima un haut-le-cœur et se félicita de ce que, le petit déjeuner étant déjà loin, elle avait l'estomac vide. Le Mollusque, amoureux d'elle ! Impossible !

Elle secoua la tête.

— Non, non, tu dois te tromper, je t'assure ! protesta-t-elle. Le Moll... je veux dire M. Blenkenship, me dévisage ainsi uniquement parce qu'il est atterré par mon manque de sens pratique. Figure-toi que son père voudrait me voir vendre ma maison !

Honoria était catégorique.

— Il ne me semble pas le moins du monde atterré quand il te regarde, Julia, insista-t-elle. Je dirais même que ce serait plutôt le contraire ! Tu devrais faire attention, tu te souviens de ce que nous disait Madame !

Julia n'avait en effet pas oublié comment Madame insistait sur le fait que rien ne nuit autant à la réputation d'une jeune fille qu'une brochette de soupirants éconduits. Mais Harold ! *Harold*, amoureux d'elle ! Inconcevable ! Lady Honoria se laissait emporter par son imagination !

— Je serai donc sur mes gardes, puisque tu le désires, rassura-t-elle son amie en lui tapotant affectueusement le bras. Mais il n'y a pas lieu de s'inquiéter, mon petit-cousin n'éprouve rien pour moi !

Julia jugeait en réalité Harold entièrement dépourvu de toute forme de sensibilité : comment comprendre autrement son refus d'essayer une invention aussi merveilleuse que le M'attrape-qui-peut ?

L'idée d'un Mollusque épris était si ridicule que Julia s'empressa de la chasser de son esprit... d'autant qu'Apollon, debout près de la portière de la voiture, lui prenait présentement le coude pour l'aider à y monter. La jeune fille se sentit derechef submergée par le souvenir du contact de son bras contre ses épaules...

...et fut soudain incapable de penser à quoi que ce soit d'autre ; et qui à sa place l'aurait pu ?

Force était de reconnaître que, contrairement à son frère, Lady Honoria Bartholomew n'avait pas été gâtée par la nature : malheureusement affligée de la même carrure d'athlète que lui, son visage accusait en outre des traits nettement chevalins.

Ce n'était pas, en soi, une fatalité, et cela aurait même pu passer pour un atout, dans la mesure où seules les femmes de haute stature et au corps sculptural portaient vraiment bien les robes à taille haute en vogue cette saison – du moins si Honoria ne s'était obstinée à orner jupes, corsages et bonnets de plumes. Julia soutenait que celles-ci rendent toujours grotesque une femme grande, qui doit plutôt opter pour des tenues d'une coupe classique, aux lignes bien nettes, de façon à détourner l'attention vers ses points forts, à commencer, dans le cas de son amie, par sa splendide et abondante chevelure blonde et ses yeux d'un azur magnifique. Lady Honoria aurait donc dû y renoncer au profit de simples ganses et galons rehaussés d'un soupçon de dentelle.

Mais elle ne se montrait pas facile à convaincre.

Julia vivait maintenant depuis presque un mois chez les Bartholomew ; la saison londonienne battait son plein, mais Honoria, à la différence de la plupart des autres ex-pensionnaires de Mme Vieuxvincent, n'avait encore reçu aucune demande en mariage. Rien de surprenant à ce qu'une jeune fille telle que Julia, peu fortunée et constellée, en outre, de taches de rousseur, n'ait pas attiré l'attention des beaux partis de la société, mais Lady Honoria ? Elle qui possédait bien cinq mille livres de rente annuelle ! Traits chevalins ou non, les prétendants auraient dû se bousculer à sa porte, comme ils le faisaient à celle d'Eleanor, qui habitait à quelques rues de là.

Il est vrai que cette dernière était une beauté, et qu'elle avait appris, durant toutes ces années aux côtés de son amie, à s'habiller correctement. Eleanor, elle, aurait pu porter des plumes : elle était petite. Sur Lady Honoria, par contre, quelle catastrophe !

Julia se rendait bien compte que des mesures

drastiques devenaient nécessaires. Un beau matin, quelques jours après la visite au M'attrape-qui-peut, elle se planta donc devant les portes grandes ouvertes de l'armoire à vêtements de Honoria, une expression sévère sur le visage et une paire de ciseaux à la main.

— Tout doit partir, décréta-t-elle impitoyablement.

Du petit siège capitonné à festons où elle était assise, à quelques pas de là, Lady Honoria poussa un cri alarmé.

— Non, Julia, non ! Pas *tout*, quand même !

— Tout ! répéta fermement son amie.

Même Charlotte, la femme de chambre de Honoria, qui était pourtant française et savait donc instinctivement que Julia avait raison, ne put réprimer un soupir atterré.

— Des robes qui viennent de Paris ! Qui ont coûté des centaines de livres ! murmura-t-elle dans un souffle à Martine, qui apportait la boîte à ouvrage de sa maîtresse.

— Oui, je le sais bien ! C'est dommage, mais il n'y a aucun autre remède, dit Julia.

Et sur ces entrefaites, ciseaux brandis, elle saisit la première des horreurs vestimentaires de la garde-robe de Honoria et entreprit de la dépouiller de sa parure de marabout.

— Nous remplacerons tout ça par une petite bordure de perles de jais. Martine ?

La femme de chambre fouilla aussitôt dans la grande boîte remplie de galons, de cordons, de dentelles et de toute la passementerie que sa jeune maîtresse avait collectionnée au fil des années, et qu'elle gardait toujours à portée de main.

— Voici, mademoiselle, dit-elle en sortant le fin ruban noir, je l'ai trouvée !

— Parfait !

Julia lança la robe déplumée à Charlotte.

— Au suivant !

Elles avaient déplumé ainsi presque la moitié de la garde-robe de Lady Honoria lorsqu'on frappa à la porte.

— Un certain M. Harold Blenkenship demande à vous voir, Miss Sparks, annonça la bonne.

— Zut alors ! s'exclama Julia.

Elle avait complètement oublié que le Mollusque lui avait écrit pour lui demander la permission de l'emmener, ce matin même, faire une promenade en voiture. En temps normal elle se serait empressée de refuser, prétextant un engagement antérieur, mais elle avait déjà décliné successivement cinq de ses invitations, et une sixième réponse négative aurait risqué d'être perçue comme insultante ; sans parler des excuses qu'il avait fallu présenter pour l'incident du Sir Roger.

Oui, Julia détestait cordialement son petit-cousin, mais elle ne souhaitait pas pour autant l'offenser. Madame avait toujours clairement insisté sur le fait que, à la différence des amis ou des connaissances, dont on peut toujours s'éloigner, on ne quitte jamais définitivement les membres de sa propre famille, et qu'il est donc préférable d'éviter de les heurter de front, dans la mesure où l'on demeure dans l'obligation de les côtoyer pendant un certain temps encore.

— Je dois partir maintenant, dit Julia en tapotant légèrement sa coiffure.

Elle ne cherchait pas à plaire au Mollusque et n'avait pas à se soucier outre mesure de son apparence, mais elle accepta tout de même avec plaisir le bonnet que lui tendait Martine – celui qu'elle avait, pas plus tard que la veille, orné de rubans de satin vert, assortis au mantelet qu'elle venait de teindre.

— Surtout ne touche à rien pendant mon absence, nous nous occuperons du reste à mon retour, poursuivit-elle avec un coup d'œil d'avertissement à l'adresse de Honoria.

Elle savait son amie capable de tenter de sauver subrepticement un ou deux boas, ce qui ne pourrait lui être que fatal : rien de pire que les plumes pour encadrer un visage comme le sien ! Lady Honoria, qui contemplait avec tristesse les robes que Martine et Charlotte dépouillaient de leurs ornements, resta silencieuse.

Il est sans doute pénible d'apprendre que ce que l'on chérit tant vous le rend si mal, songeait Julia en nouant soigneusement les brides de son bonnet sous son menton. Cela ne se limitait pas aux plumes, bien sûr : le soleil également s'avérait redoutable, comme en témoignaient ses taches de rousseur, et le chocolat aussi, qui avait entraîné plus d'une femme à sa perte. Mais si Lady Honoria voulait épouser quelqu'un d'un tant soit peu présentable, il lui faudrait apprendre à renoncer au duvet d'autruche ! Et elle devrait, en vérité, s'estimer heureuse de s'en tirer à si bon compte : plus d'une femme se voyait, pour dénicher un mari, tenue de consentir à des sacrifices bien pires, comme de renoncer aux talons hauts, par exemple.

Julia lança un regard entendu à Martine, qui hocha imperceptiblement la tête et, rassurée, quitta la pièce pour aller retrouver son petit-cousin.

Lady Honoria n'était de toute évidence pas la

seule à avoir sérieusement besoin de conseils : le Mollusque, qui se donnait à nouveau des airs de dandy, s'était cette fois accoutré de culottes de velours rouille et d'un gilet du même ton, sur lequel il avait passé une redingote lie-de-vin. La jeune fille frémit en se représentant l'effet désastreux qu'allait produire à Hyde Park tout cet orange violacé sur le joli vert de son nouveau mantelet.

Les petits yeux porcins de son petit-cousin s'illuminèrent en la voyant.

— Julia, vous êtres superbe, comme toujours !

Il n'avait pourtant pas pour habitude de l'appeler ainsi, ni, du reste, de la suivre constamment des yeux comme il le faisait à présent. La jeune fille, consternée, en vint à se demander si son amie Honoria n'avait pas eu raison, l'autre jour : depuis qu'elle portait les cheveux relevés, le Mollusque la regardait sans cesse, et il semblait s'intéresser beaucoup trop à elle. Elle n'avait pourtant pas changé d'attitude à son égard ! Alors pourquoi n'allait-il pas s'amouracher d'une jeune fille qui s'en montrerait heureuse ? Pourquoi devait-il venir l'importuner, *elle* ? Et pourquoi les choses étaient-elles toujours si *compliquées* ?

— Bonjour, Harold, répondit-elle froidement

en lui tendant une main indifférente, de façon à bien lui montrer qu'elle n'éprouvait pour lui rien d'autre que ce qui était dû à tout parent.

Il lui saisit vivement les doigts et s'empressa de les porter à ses lèvres pour les couvrir de petits baisers bruyants. Jennings, le majordome des Bartholomew, resta imperturbable, feignant de ne rien remarquer, mais la jeune fille fut convaincue qu'il ne se sentait pas moins gêné qu'elle.

Julia se libéra de l'étreinte du Mollusque et enfila en toute hâte ses gants.

— Harold ! protesta-t-elle. Harold, qu'est-ce qu'il vous prend ?

Le Mollusque partit sans répondre d'un petit rire, qu'il croyait sans doute raffiné. Il l'entraîna dehors, où les attendait son phaéton, un élégant véhicule jaune et noir attelé d'une jolie paire de bais, constata la jeune fille non sans soulagement : il n'y avait donc pas à s'inquiéter des risques de bris de roue ou de perte de chaussure, qui auraient pu, en les retardant, les faire rentrer à une heure proprement scandaleuse et l'obliger – à dieu ne plaise – à épouser son petit-cousin pour sauver son honneur.

Mieux valait quand même se montrer prudente.

— Je dois ab-so-lu-ment, Harold, être rentrée

pour une heure, déclara-t-elle donc d'une voix forte, de façon à ce que le majordome l'entende bien. Nous allons, Lady Honoria et moi, choisir des boutons à Grafton House, cet après-midi.

Un mensonge, bien sûr, mais il n'avait pas besoin de le savoir.

Du reste, son petit-cousin ne semblait pas le moins du monde déçu d'apprendre que Julia ne lui consacrerait qu'une seule heure de son temps. Il aida la jeune fille à s'installer, puis sauta à sa place auprès d'elle et s'empara prestement des rênes.

— Accrochez-vous bien, Julia, annonça-t-il avec un sourire qu'il aurait voulu canaille, mais qui n'était que suffisant. Ces bêtes sont ardentes et promptes à s'emballer, et j'ai parfois bien du mal à les tenir !

Ces fanfaronnades irritèrent encore plus la jeune fille, qui savait bien qu'il n'en était rien et que les chevaux resteraient calmes, à moins que le Mollusque lui-même ne choisisse de les mener d'une main si lourde qu'elle les pousserait à prendre le mors aux dents.

— Qu'attendez-vous, dans ce cas, pour vous en défaire et vous en procurer de plus dociles, si vous vous savez incapable de les maîtriser ? demanda-t-elle sèchement.

La réponse de Julia n'était visiblement pas celle qu'il avait escomptée, et il parut déçu. Peut-être s'attendait-il à ce qu'elle lui prenne le bras en s'écriant « Protégez-moi, Harold ! » songea Julia avec dégoût, et pourtant lui n'avait même pas osé monter dans le M'attrape-qui-peut !

Vexé, le Mollusque claqua la langue à l'adresse des chevaux, qui partirent aussitôt d'un petit trot régulier, ainsi que l'on pouvait s'y attendre de la part de créatures bien élevées et raisonnables... en tout cas plus que leur maître.

— Je m'étonne de vous avoir rencontrée à Euston Square l'autre jour, dit-il alors qu'ils pénétraient dans le parc. J'ignorais que vous vous intéressiez aux trains.

— Oh non, pas particulièrement. C'est Lord Farelly qui les adore, répondit-elle d'un ton dégagé, tout en surveillant les voitures alentour afin de s'assurer qu'aucune personne de sa connaissance ne la surprenait en compagnie d'un homme qui choisissait, délibérément, de porter des couleurs si hideuses. Mais je dois dire que j'ai trouvé l'expérience passionnante ! N'était-ce pas extraordinaire de se sentir bouger à une telle vitesse ? conclut-elle perfidement.

Harold eut, comme prévu, l'air gêné.

— C'est-à-dire que, en fait... je n'ai pas réellement essayé. Cela m'a paru assez risqué !

Julia n'avait pas oublié la panique du Mollusque quand, lors de ses visites à l'Abbaye, elle lui montrait un ver qu'elle venait de déterrer, et elle ne fut pas outre mesure étonnée d'apprendre qu'un individu aussi timoré jugeait dangereuse l'invention de M. Trevithick.

Typique ! pensa-t-elle à part soi.

— Quel dommage ! Je vous assure pourtant que c'était tout ce qu'il y a de plus divertissant, dit-elle simplement.

— Je vous crois sur parole. Quoi qu'il en soit, je ne m'attendais pas à vous voir, vous, Julia, vous comporter de cette façon !

— Moi ? Que voulez-vous dire, Harold ? s'exclama-t-elle, interdite.

— Eh bien, il faut avouer que ce n'est pas là le genre de choses que l'on attend d'une jeune fille de sa connaissance, répondit-il les yeux obstinément fixés sur les rênes

Les chevaux n'avaient pourtant nullement besoin d'être surveillés et trottaient sagement leur bonhomme de chemin comme si, ce que Julia soupçonnait être le cas, le trajet leur était parfaitement familier.

— Je veux dire, s'exhiber ainsi, en pleine place publique, sur une mécanique ridicule, poursuivit-il.

— Sachez que Lady Farelly m'a donné son accord, rétorqua-t-elle vexée, et que Lord Farelly en personne a payé mon billet ! Il affirme qu'un jour viendra où tout le monde – aussi bien les dames que les messieurs – utilisera les trains pour voyager à des miles et des miles de distance, et que cela n'aura rien d'incongru.

— Peut-être a-t-il raison, mais cela n'empêche que je n'ai vu ni Lady Farelly ni sa fille sur le M'attrape-qui-peut. Vous étiez la seule femme à bord, si je me souviens bien.

C'en était trop ! Passe encore que le Mollusque la harcèle pour qu'elle accepte de se promener avec lui, mais qu'il saisisse ensuite l'occasion pour lui reprocher une autre excursion, pour laquelle elle avait pourtant obtenu l'autorisation de ses hôtes, cela passait toutes les bornes ! Et si Lady Honoria ne se trompait pas en disant qu'il était tombé amoureux de Julia, il avait une bien curieuse façon de manifester ses sentiments !

— Brisons là, Harold, je me suis assez promenée ! Je vous prie de me ramener chez les Bartholomew à présent, annonça la jeune fille, frémissante de colère.

— Juste ciel ! Je ne vous ai pas offensée, Julia, n'est-ce pas ?

— Bien sûr que si ! (Comment pouvait-il en douter ? Était-il vraiment aussi stupide que pleutre ?) Pour qui vous prenez-vous, pour prétendre vouloir me dicter ma conduite ? Vous n'êtes pour moi qu'un cousin éloigné, au deuxième degré au moins, si je ne m'abuse ! Vos quelques années de plus que moi ne m'empêcheraient nullement de vous corriger d'importance, vous savez ! Songez donc à ce jour où vous avez voulu m'interdire de nager !

Le Mollusque s'empourpra à ce souvenir cuisant – quel homme ne rougit pas d'avoir été, enfant, rossé par une fillette – et lui lança un regard mauvais.

— Vous n'aviez que six ans, vous auriez pu vous noyer !

— Dans un ruisseau de un mètre de profondeur ? Soyez donc sérieux ! rétorqua-t-elle, exaspérée. Voici le tournant pour Park Lane, Harold, prenez-le !

Loin d'obéir, Harold arrêta net la voiture, reposa les rênes et regarda Julia bien en face.

— J'ai, bien au contraire, parfaitement le droit de vous dicter votre conduite, déclara-t-il avec une véhémence rare chez lui.

Julia plissa les yeux.

— Et de quel droit s'agit-il ? Je serais bien aise de le savoir !

— Du droit qu'il se trouve, dit Harold d'un air grandement satisfait de lui-même, que j'ai bien l'intention de vous épouser !

Julia dévisagea le Mollusque, bouche bée. Elle osait à peine en croire ses oreilles. Ne venait-il pas de lui proposer le... mariage ? !

— Parfaitement, Julia, vous m'avez bien entendu ! déclara-t-il d'une voix de stentor.

Les passagers des équipages qui les contournaient – en s'arrêtant au beau milieu de l'allée, Harold avait perturbé toute la circulation dans le parc – les regardaient maintenant avec curiosité.

— Nous allons nous marier ! Père m'a déjà donné son autorisation. Il m'approuve entièrement et compte faire publier les bans sans tarder.

Stupéfaite, Julia agrippa les bords du phaéton. *Quoi qu'il advienne, n'éclate pas de rire !* s'admonesta-t-elle fermement. *Quoi qu'il en soit, Julia, ne ris pas, surtout !*

Trop tard ! Un éclat d'hilarité contenue lui remontait, irrépressible, à la gorge, et elle s'esclaffa. Naturellement, le Mollusque n'apprécia guère de voir sa proposition ainsi tournée en dérision.

— Je ne plaisante pas, Julia, et vous conseillerais d'envisager les choses avec un peu moins de légèreté, énonça-t-il d'un ton rébarbatif. Une jeune fille dans votre situation ne risque guère de crouler sous les demandes, vous le savez bien.

— Pardonnez-moi, Harold, s'excusa-t-elle en séchant des larmes au coin de ses paupières, mais vous ne parlez pas sérieusement ! Nous ne sommes pas faits l'un pour l'autre, c'est évident !

— Je ne vois pas ce qu'il y a là d'évident, dit Harold. Nous avons, vous et moi, beaucoup de choses en commun.

Remarquant les regards exaspérés que leur lançaient les conducteurs des autres attelages, il s'était enfin décidé à repartir, et le phaéton tournait à nouveau dans les avenues du parc. Julia eut envie de lui demander à quoi, exactement, il faisait allusion, mais se ravisa : elle ne répondait plus d'elle-même et craignait ne pas l'entendre sans pouffer à nouveau. Malgré son aversion, elle ne parvenait pas à réprimer entièrement un certain mouvement de pitié envers le Mollusque : jamais elle ne l'aurait cru épris au point de vouloir faire d'elle sa femme, et elle regrettait fort, à présent, de lui avoir si cruellement ri au nez !

— Mais Harold, voyons, ce n'est pas possible ! lui dit-elle gentiment.

— Pourquoi pas ? demanda Harold. Je... c'est-à-dire, vous... vous me plaisez !

Julia cessa de le plaindre sur-le-champ et perdit d'un coup toute compassion à son égard. *Plaisait* ? Elle lui *plaisait* ? Elle n'avait jamais eu la moindre intention de l'épouser, mais si tel avait été le cas, ces trois mots y auraient mis bon ordre immédiatement. Comme prétendant, Harold se révélait plus que piteux. Où étaient les serments d'amour éternel, les compliments, les fleurs ? Il ne lui avait même pas dit qu'elle était belle !

Juste ciel, avait-on jamais vu pareille lavette ?

— Et si vous songez à refuser, je vous suggère d'y réfléchir à deux fois. Il vous faut voir les choses en face, Julia, et reconnaître que vous n'êtes pas riche et ne recevrez sans doute jamais de meilleure proposition.

Julia revit en un éclair Apollon et la façon dont il l'avait entourée de son bras, sur le M'attrape-qui-peut, Apollon venant la chercher pour aller danser, éblouissant de grâce et d'élégance dans ses habits bien coupés aux tons discrets, Apollon, qui, *lui*, ne saurait avoir peur de l'eau, puisqu'il avait ramé dans l'équipe de son collège : une embarcation risquant toujours de chavirer, tout rameur savait sans doute nager.

— J'ai de ma défunte mère deux mille livres par an, poursuivit le Mollusque prosaïquement. En outre, comme vous le savez, je deviendrai un jour baron ! Une jeune fille dans votre position ne peut guère prétendre à mieux, et je parle donc dans votre intérêt quand je vous dis de considérer ma proposition avec le sérieux qu'elle mérite. Je vous assure que rares sont les hommes disposés à épouser une jeune fille non seulement pauvre, mais aussi... aussi *volontaire* que vous. La plupart d'entre eux n'approuvent pas qu'une femme se donne en spectacle et s'exhibe en pleine place publique sur un... train.

Julia, qui sentait son aversion croître au fur et à mesure qu'il parlait, se sentait bien près de se mettre à le haïr.

— Certains n'y voient pourtant pas d'inconvénient, ne put-elle s'empêcher de faire remarquer avec acidité. Comme Lord Sebastian, par exemple !

Elle avait à peine fini de parler qu'elle s'en mordait les lèvres. Trop tard ! Le Mollusque l'avait entendue ; il la dévisagea avec curiosité, intrigué par sa virulence.

— Lord Sebastian ? Vous voulez dire le vicomte ?

Julia hocha brièvement la tête. Elle s'était bel et bien trahie, et il ne lui restait plus qu'à espérer que son petit-cousin ne percerait pas à jour ses véritables sentiments à l'égard d'Apollon. Harold partit soudain d'un grand rire inattendu ; les deux bais, que leur maître n'avait visiblement pas habitués à de tels éclats, remuèrent les oreilles avec inquiétude en roulant des yeux effarés.

— Lord Sebastian ! Ne me dites tout de même pas, Julia, que vous vous imaginez que le vicomte s'intéresse à vous ! Soyez donc réaliste !

Cette riposte exaspéra plus encore la jeune fille que ne l'avait fait la critique de sa conduite à Euston Square, et elle fut envahie par une rage aussi violente que ce fameux jour où le Mollusque avait voulu lui interdire de se baigner ; impossible, pourtant, de le gifler à présent : la scène se déroulait en public, et ces dix années passées sous la férule de Mme Vieuxvincent avaient bel et bien fait de Julia une dame.

— Sachez pour votre gouverne, siffla-t-elle avec plus de sang-froid que de prudence, que

nous sommes, le vicomte et moi, de bons
– je dirai même de *très* bons – amis !

Le Mollusque ressemblait de moins en moins
au Mollusque qu'elle connaissait, et de plus en
plus à un étranger, un inconnu, avec lequel elle
n'aurait eu aucun lien de parenté.

— Effectivement, déclara-t-il. J'ai effectivement pu constater l'autre jour combien le vicomte
et vous étiez *proches* l'un de l'autre.

Julia ne put s'empêcher de rougir ; elle n'ignorait pas qu'il aurait probablement été plus sage de
ne pas laisser Apollon l'enlacer, mais il ne cherchait, somme toute, qu'à la protéger !

— Alors vous voyez bien ! insista-t-elle, cherchant à dominer son embarras. N'est-ce pas,
Harold ?

— Julia !

Harold la regarda posément. Avec son menton
fuyant et ses yeux trop petits, personne ne l'aurait jamais qualifié de beau, mais cet air austère
qu'il avait pris le changeait du tout au tout. Julia
trouvait maintenant difficile de reconnaître en lui
celui que, depuis des années, elle avait pour habitude de mépriser : elle découvrait maintenant
chez son petit-cousin des ressources insoupçon-
nées d'entêtement et d'acharnement qui, s'ils
n'avaient rien de commun avec le courage ou

même la force de caractère, ne s'en révélaient pas moins implacables.

— Julia, vous feriez mieux de vous mettre dans le crâne une bonne fois pour toutes que jamais Lord Sebastian Bartholomew ne viendra demander la main d'une petite pauvresse insignifiante telle que vous, énonça alors le Mollusque avec une conviction glaçante. Et ce, quel que soit le nombre de fois où il l'aura serrée dans ses bras !

Julia, outrée, se leva si brusquement qu'elle manqua perdre l'équilibre, mais elle ne se souciait guère de périr piétinée sous les centaines de sabots qui parcouraient l'allée.

— Assez ! *Assez*, vous dis-je ! Arrêtez cette voiture im-mé-dia-te-ment !

Le Mollusque, plus blême que jamais, tira sur les rênes.

— Julia ! s'écria-t-il. Êtes-vous folle ? Asseyez-vous !

Elle se garda bien d'obéir. Dès que le phaéton s'immobilisa, elle s'empressa au contraire d'en descendre, sans même attendre que son petit-cousin ne lui tende le bras ni s'inquiéter de l'ourlet de sa robe, qu'elle accrocha à la roue ; tirant l'étoffe d'un coup sec pour se libérer, elle traversa l'allée en courant, au risque d'être renversée par un cabriolet qui les doublait.

— Julia ! Julia ! Revenez, voyons ! s'époumonait vainement le Mollusque de son siège.

Elle n'en avait pas la moindre intention. Qu'importe si elle devait refaire, seule et à pied, tout le long chemin du retour ! Elle aurait volontiers marché jusqu'à Newcastle, si on lui avait promis qu'elle n'aurait plus *jamais* à endurer la compagnie de Harold Blenkenship, cette répugnante créature !

Midi venait tout juste de sonner, Hyde Park fourmillait de promeneurs. Julia marchait tout au bord de l'allée, mais voitures et chevaux la frôlaient dangereusement au passage ; elle n'osait cependant s'aventurer dans le sous-bois par crainte des tire-laine qui, disait-on, y rôdent : son réticule ne contenait que cinquante pence et quelques épingles à chapeau, mais elle y tenait.

Elle fut donc extrêmement soulagée de s'entendre héler. La voix n'était pas celle du Mollusque, et, du reste, celui-ci ne pouvait se lancer à la poursuite de Julia en abandonnant son équipage s'il tenait à le revoir : le parc comptait nombre de visiteurs plus louches que ceux et celles simplement venus là pour voir et se montrer ; maraudeurs et brigands, souvent en quête de profits plus substantiels que de modestes sacs, s'y croisaient également.

Non, il s'agissait indiscutablement d'une voix de femme.

Julia tourna la tête et découvrit, ravie, qu'Eleanor, Nathaniel et un homme qu'elle ne connaissait pas la contemplaient avec étonnement du haut d'un élégant landau à quatre places. Son amie était vraiment charmante aujourd'hui, coiffée de ce bonnet que Julia avait, la veille au soir, orné de minuscules boutons de rose en soie.

— Que se passe-t-il, Julia ? s'écria-t-elle. Que fais-tu seule, à pied, sur cette allée pleine de poussière ? Et n'est-ce pas le Mollusque que nous venons de dépasser à l'instant ?

— Oui, c'est lui, confirma la jeune fille avec dédain. Il m'a gravement insultée, j'ai dû quitter sa voiture !

— Insultée ? répéta Eleanor, choquée.

L'inconnu se contenta de sourire : il était clair que Julia n'avait pas irrémédiablement souffert de sa mésaventure.

— Ne nous ferez-vous pas, dans ce cas, le plaisir de votre compagnie ? demanda-t-il. Je vous garantis que vous serez en sécurité avec nous, n'est-ce pas, Sheridan ?

— Assurément, acquiesça Nathaniel de la banquette arrière.

Il ouvrit la portière et descendit aider la jeune fille à monter.

— Merci ! dit-elle en se laissant tomber avec gratitude sur les coussins. J'étais vraiment à bout de ressources, mais je savais que je n'aurais pu survivre une seconde de plus dans ce phaéton avec lui !

— Les promenades en voiture sans escorte sont dangereuses pour les jeunes filles, affirma l'inconnu, toujours souriant, alors que Nathaniel s'installait à côté de Julia. Miss Sheridan, ici présente, a heureusement son frère, et aussi vous à présent, pour la protéger.

Julia regarda alternativement chacun des trois occupants de la voiture et réalisa soudain qu'elle arrivait au beau milieu d'un rendez-vous entre Eleanor et l'un de ses soupirants. Lady Sheridan, qui faisait toujours les choses dans les règles, avait nul doute insisté pour que Nathaniel accompagne les jeunes gens. Il arborait cet air protecteur de sollicitude fraternelle qu'il réservait d'ordinaire aux bals ou aux réunions mondaines.

— Miss Sparks, déclara-t-il solennellement, puis-je vous présenter Sir Hugh Parker ? Sir Hugh, voici Miss Sparks, la meilleure amie de ma sœur.

Sir Hugh posa les rênes et se retourna pour lui

serrer la main. Elle nota avec approbation que, quoique portant la moustache – chose toujours risquée pour ceux dont l'ossature du visage n'avait pas la perfection de celle d'Apollon –, il était blond, de belle stature et d'une physionomie agréable. Sa mise dénotait en outre une recherche dénuée d'affectation, et son jabot étincelait de blancheur, ce que Julia trouvait toujours agréable chez un homme.

Elle se demanda combien il possédait, et si son amie en était véritablement éprise. Eleanor se comportait d'une façon très inhabituelle, dont on ne pouvait rien déduire. Elle allait jusqu'à contrôler son rire, et Mme Vieuxvincent elle-même aurait approuvé la dignité de son attitude.

— Quelle chance que nous soyons passés par là ! Mais dis-moi, Julia, qu'est-ce que le Mollusque t'a encore fait, au juste ? interrogea-t-elle tandis que Sir Hugh redémarrait l'équipage. Aurait-il recommencé à t'importuner pour que tu vendes l'Abbaye ?

— Oh, non, répondit-elle. Cette fois, il voulait que je l'épouse, rien que ça !

Eleanor laissa fuser un petit cri incrédule des plus distingués, et Sir Hugh prit à nouveau un air réjoui, comme s'il trouvait Julia extrêmement divertissante. Nathaniel lança à la jeune fille un regard pénétrant et calme.

— Et je gage que vous avez éconduit ce malheureux sans trop de ménagements !

Julia se sentait bien un peu honteuse du traitement infligé à son petit-cousin.

— Sachez, Nathaniel Sheridan, qu'il n'a rien d'un malheureux, rétorqua-t-elle, aussitôt sur la défensive. N'essayez donc pas de le plaindre ! Non seulement il a poussé l'outrecuidance jusqu'à me demander en mariage, alors qu'il est pourtant évident que nul ne voudrait d'un époux tel que lui, mais il s'y est, de surcroît, pris d'une façon scandaleuse !

Elle n'avait pas l'intention de leur révéler ce que le Mollusque avait dit d'Apollon. Elle comptait le confier par la suite à Eleanor, quand elles seraient en tête à tête, toutes les deux, mais elle ne voulait absolument pas en parler maintenant, devant Nathaniel et Sir Hugh.

— Il n'a rien trouvé de mieux à me dire que je lui *plaisais* ! poursuivit-elle d'un ton indigné.

Sir Hugh éclata d'un rire sonore. Eleanor eut l'air loyalement offensée pour son amie. Nathaniel, lui, se carra dans son siège, croisa les bras, et contempla la jeune fille avec scepticisme.

— Laissez-moi deviner, dit-il, vous auriez préféré l'entendre déclamer *Oh si j'étais le gant sur cette main, que je puisse toucher cette joue*[1] *!* ou quelque chose de la même farine ?

Julia lui lança un regard méfiant. Il se gaussait d'elle sans doute, de son aventure... et de sa passion pour les belles-lettres, mais elle n'allait tout de même pas chercher querelle à l'un de ceux qui venaient juste de la tirer d'embarras. Elle réprima son irritation.

— Un peu de Shakespeare ne nuit jamais à personne, se contenta-t-elle de lui faire remarquer dignement. Mais vous vous bercez d'illusions si vous imaginez que mon petit-cousin aurait pu se déclarer de façon à ce que je l'accepte ; tout de même... au moins *quelques* compliments auraient été de mise !

Le soleil vif de la mi-journée soulignait de reflets cuivrés les mèches châtain sombre échappées du bonnet d'Eleanor.

— Je suis bien aise que tu l'aies refusé, Julia, déclara-t-elle. Je détesterais te voir mariée à un homme qui serait ton inférieur, sur le plan moral comme intellectuel.

Elle jeta un coup d'œil par-dessus son épaule

---

1. William Shakespeare, *Roméo et Juliette*, acte 2, scène 2. Traduction de Pierre Jean Jouve et Georges Pitoeff, Le Club français du livre, Paris, 1995.

à son frère, toujours affalé sur la banquette arrière.

— Pas toi, Nathaniel ?

L'interpellé leva un sourcil nonchalant et regarda sa sœur d'un air sardonique.

— Pas toi, Nathaniel ? insista-t-elle, menaçante.

— Pas moi quoi ? interrogea-t-il.

— Ne verrais-tu pas, toi aussi, avec horreur Julia épouser quelqu'un qui ne la vaudrait pas ?

Eleanor faisait de gros efforts pour se dominer et continuer à se comporter en vraie dame, mais elle grillait visiblement de l'envie de décocher à son frère le bon coup de pied aux chevilles qu'il méritait. Qu'avait-il encore fait pour exaspérer sa sœur ?

— Oui, sans doute, concéda-t-il enfin en se redressant sur son siège, mais la boucle de cheveux qui lui retombait, comme toujours, sur l'œil démentait son air sérieux.

— Voyez-vous, Julia..., poursuivit-il alors d'un ton grave, qu'elle ne lui connaissait pas.

Elle en était encore à se demander ce qu'il pouvait bien s'apprêter à lui dire, et pourquoi son amie leur tournait maintenant obstinément le dos pour fixer l'allée, droit devant elle, quand une voix familière retentit, toute proche.

— Miss Sparks ! Serait-ce vous, mademoiselle ?

Tournant la tête, elle fut ravie de voir surgir Apollon, dans un phaéton tout neuf, encore plus léger et élégant que celui de Harold.

— J'ignorais que vous aviez rendez-vous avec les Sheridan aujourd'hui, s'étonna-t-il après les salutations et les compliments d'usage.

Nathaniel paraissait soudain de méchante humeur. Pourquoi devait-il donc se montrer toujours aussi désagréable, en présence de Lord Sebastian ?

— Je pensais avoir entendu ma sœur dire que vous iriez vous promener avec Harold Blenkenship.

— C'est ce que j'ai fait, mais les choses ont mal tourné, expliqua Julia, et mes amis ont eu la bonté de voler à ma rescousse.

— Ah, excellent ! s'exclama Apollon, plus divin que jamais sous les éclats de lumière filtrant à travers la voûte de feuillage. Je ne vous aurais jamais imaginé dans le rôle de Prince Charmant, Sheridan ! Je vous croyais incapable de lever la tête de vos bouquins.

— C'est moi qui suis surpris de vous voir vous déplacer en ville sans un aviron dépassant de chacune de vos manches, Bartholomew, rétorqua Nathaniel sur le même ton.

Julia, stupéfaite, vit Apollon s'empourprer. Elle prit soudain conscience d'une tension certaine entre les deux véhicules et fut soulagée d'entendre Sir Hugh intervenir.

— Messieurs, voyons, messieurs ! Ne ferions-nous mieux pas d'avancer un peu ? Nous entravons la circulation et nous gênons tout le monde, à rester ici !

Lord Sebastian se retourna et constata qu'une file d'équipages impatients s'était en effet formée derrière le sien.

— Par ma foi, c'est juste, dit-il. Venez, Miss Sparks, vous avez sans doute hâte de rentrer : j'allais justement à la maison, permettez-moi de vous raccompagner !

— Je vous en serais très reconnaissante, milord, répondit la jeune fille, enchantée, en se levant pour changer de place.

Mais Nathaniel, assis devant la portière, ne bougea pas.

— Restez, Julia, ordonna-t-il. Nous vous ramènerons !

— Je vous remercie, mais ce n'est pas sur votre chemin, objecta-t-elle, toujours debout.

— Sir Hugh n'y voit aucun inconvénient. N'est-ce pas, Sir Hugh ?

— Aucun, Sheridan, si c'est ce que vous souhaitez, répliqua immédiatement ce dernier d'un ton conciliant.

— C'est bien aimable à vous, mais Lord Sebastian peut très bien me reconduire, dit Julia, désagréablement consciente que leur groupe attirait l'attention.

Des exclamations commençaient déjà à fuser des voitures immobilisées derrière eux : « Avancez, mais avancez donc ! » « Encore un cheval qui a perdu un fer ? »

— On m'attend à la maison, poursuivit-elle. Lady Honoria compte sur moi pour l'accompagner... à Grafton House, choisir des boutons !

Le mensonge était éhonté, et, de surcroît, ne brillait pas par l'originalité, puisqu'elle l'avait déjà servi à Harold, mais elle se sentit cette fois inexplicablement coupable en le proférant. Coupable ? Mais de quoi donc, juste ciel, et pourquoi devrait-elle la vérité à ce Nathaniel Sheridan, invariablement désagréable à son égard ?

L'affirmation de Julia eut pourtant l'effet escompté : Nathaniel ouvrit, quoique d'assez mauvaise grâce, la portière puis il sortit et entreprit d'aider la jeune fille à descendre du landau pour gagner le phaéton. Confortablement installée sur la banquette tout contre Apollon, ses scrupules aussitôt oubliés, elle fit de grands gestes d'adieu à ses amis qui lui répondirent gaiement ; à l'exception, bien sûr, de Nathaniel, toujours plongé dans sa bouderie. Lord Sebastian fit faire demi-tour au phaéton et s'engagea dans Park Lane.

Julia quitta donc le parc dans un état d'esprit tout autre que celui qui était le sien en y pénétrant : alors complètement démoralisée par son consternant cavalier, elle repartait à présent en compagnie d'un homme... divinement beau ! Elle sentait converger sur elle les regards envieux de celles qu'ils croisaient, et qui, tout en la suivant des yeux, se demandaient visiblement comment elle, Julia Sparks, avait réussi à attirer l'attention du célibataire le plus en vue de l'Empire. La réponse était pourtant bien simple : ne s'était-elle pas laissé emporter, de-ci de-là, comme un chardon au gré du vent ?

— Qu'a donc inventé ce pauvre M. Blenkenship, pour que vous le plantiez là si cruellement ? demanda Apollon alors qu'ils roulaient dans les rues animées de la ville.

— Oh, lui ? Il voulait m'épouser ! expliqua-t-elle distraitement en fixant le ciel qui défilait derrière la chevelure blonde (un ciel dont le bleu, pourtant intense, cédait le pas devant celui de ses prunelles).

Apollon éclata d'un rire réjoui.

— Pour un crime, c'en est un, effectivement ! Dois-je comprendre que vous répondez ainsi à tous ceux qui ont l'audace de demander votre main, Miss Sparks ? Ou M. Blenkenship a-t-il eu droit à un traitement particulier ?

— Oui, car il est particulièrement repoussant, dit-elle en admirant la façon dont les cils d'Apollon ne semblaient capter la lumière que pour mieux l'irradier.

— Voilà qui me rassure, déclara-t-il.

— Qu'est-ce qui vous rassure ? interrogea la jeune fille qui s'imaginait, osant les frôler du bout des doigts.

— Eh bien, que vous ne soyez pas contre l'idée du mariage en général ! Je peux donc en conclure que je n'ai aucune raison de désespérer, n'est-ce pas ?

Apollon lui saisit soudain la main et la porta à ses lèvres. Elle demeura un instant à le contempler sans réagir, interdite, osant à peine en croire ses oreilles, ses yeux, et la peau brûlante de ses doigts sous le gant. Il balaya d'un seul coup ses derniers doutes.

— Julia, voulez-vous être ma femme ?

La jeune fille se jeta à son cou et l'embrassa fougueusement, devant tout le monde, au beau milieu de Park Lane.

Julia Sparks était donc devenue ainsi la fiancée de Lord Sebastian Bartholomew, vicomte de Farnsworth, et lorsqu'on lui faisait remarquer qu'à seize ans seulement, elle était bien un peu jeune pour se marier, elle répondait avec aplomb que Juliette n'avait même pas son âge, quand elle avait épousé Roméo.

— De fait, et voyez comment *leur* histoire *à eux* a tourné ! grommela Nathaniel, qui l'avait entendue.

Mais il ne réussit pas plus à la faire changer d'avis que sa mère, qui aurait souhaité de longues fiançailles et qui affirmait que, si Julia avait été sa fille, elle l'aurait obligée à attendre deux ans encore, avant de l'autoriser à se marier : une jeune personne, soutenait-elle, ne saurait entrer en ménage avant le jour de ses dix-huit ans.

Sourde à tous ces beaux raisonnements, la jeune fille se félicitait que Lady Farelly, et non Lady Sheridan, soit destinée à devenir sa belle-mère. Deux ans ! Le délai lui aurait été insupportable, elle qui piaffait déjà à l'idée de languir un mois entier avant de devenir la nouvelle vicomtesse de Farnsworth : Lady Farelly devait disposer de quelques semaines pour envoyer les invitations et tout organiser.

Ce contretemps ne parvenait pourtant pas à assombrir son humeur. Comment aurait-elle osé se prétendre malheureuse, alors que tous ses vœux étaient sur le point de se voir exaucés ? Aucune jeune fille n'aurait refusé de patienter un mois, ou même deux, pour épouser Apollon ; toutes l'enviaient ! La propre sœur de son fiancé était jalouse, car en une seule journée, Julia avait reçu, non pas une, mais bien deux demandes en mariage – oui, deux ! – alors qu'elle, Honoria, n'en avait eu aucune.

— Attends un peu que Charlotte et Martine aient fini de te débarrasser de ton plumage, la consolait son amie, et tu verras alors combien tu seras demandée !

Julia, aux anges, nageait donc dans un bonheur

d'autant plus parfait que tout le monde – à l'exception de Nathaniel Sheridan – ne cessait de la féliciter. Mamie lui envoya de l'Abbaye ses meilleurs vœux et promit de confectionner son célèbre pain d'épices à l'occasion de la première visite du jeune couple dans le Northumberland, après le mariage. Mme Vieuxvincent elle-même lui manda ses compliments, accompagnés d'un exemplaire de l'ouvrage de Mary Wollstonecraft *Défense des droits de la femme*, indispensable, selon elle, à toute jeune fille sur le point de fonder une famille.

Le Mollusque, en bonne lavette qu'il était, lui fit parvenir un petit bouquet, accompagné de ce qu'il appelait ses vœux de bonheur « les plus sincères ». Le Rouspéteur lui donna, quoique d'assez mauvaise grâce, sa bénédiction et accepta, non sans rechigner, de la laisser disposer à sa guise d'une somme suffisante pour l'acquisition d'un élégant trousseau.

— Je suppose que vous savez ce que vous faites, déclara-t-il quand il vint lui rendre visite, peu après avoir appris la nouvelle, mais je dois vous dire que vous vous fourvoyez, et que mon Harold en vaut bien deux, de vos vicomtes !

Ce à quoi Julia, qui n'en pensait pas moins, se garda bien de répondre.

Il lui était cependant difficile de mettre un bémol à sa joie de voir l'homme dont elle était éprise sur le point de l'épouser, à son affection pour toute sa belle-famille et à la satisfaction que lui procurait par avance son futur titre de vicomtesse. Il aurait été malséant de se réjouir de sa bonne fortune devant la sœur d'Apollon, qui n'avait ni soupirant attitré, ni le moindre espoir d'en voir se déclarer, et Julia se confiait surtout à Eleanor ; son amie la comprenait d'autant mieux qu'elle venait, elle aussi, de se fiancer : Sir Hugh lui avait demandé sa main, qu'elle lui avait accordée. Les jeunes gens auraient à attendre encore deux ans avant la cérémonie – comme Julia les plaignait ! –, mais ils étaient heureux ; Sir Hugh disposait de cinq mille livres de revenu annuel et possédait un manoir dans le Devonshire, sans parler d'une réserve apparemment inépuisable de cravates fraîchement amidonnées. On pouvait donc, avait décidé Julia, fermer les yeux sur sa moustache et approuver leur union.

C'est pourquoi elle fut stupéfaite de constater qu'Eleanor manifestait, quant à elle, quelques réserves concernant son propre mariage avec le vicomte, et, lorsque cette dernière déclara qu'Apollon n'était peut-être pas aussi divin qu'il y paraissait de prime abord, Julia exigea de son amie qu'elle lui explique ce qu'elle voulait dire exactement par là.

— J'ai juste entendu Nat... raconter une ou deux choses, répondit Eleanor.

— Ah oui, Nathaniel, encore lui ! railla Julia en se penchant pour mieux examiner un bonnet exposé dans la vitrine d'une modiste de Bond Street. Ne me dis pas que tu l'écoutes, maintenant ! Ton frère est injuste, il nourrit toutes sortes de préventions – parfaitement infondées – contre Lord Sebastian.

Depuis qu'elle fréquentait régulièrement Sir Hugh, Eleanor se montrait bien moins écervelée et devenait même sérieuse à l'occasion, comme si, le caractère enjoué de son fiancé suffisant amplement pour deux, elle avait choisi d'assumer dans leur couple le rôle de la personne posée et réfléchie.

— Ce n'est pas une simple question de préventions, Julia, déclara-t-elle gravement. Nat m'a dit que certains bruits ont couru sur ton Lord Sebastian, quand ils étaient à Oxford tous les deux, et bien peu flatteurs, qui plus est !

— *Mon* Lord Sebastian ! s'exclama Julia, indignée. C'est trop fort ! Il y a à peine deux mois, tu l'appelais toi-même Apollon, et le voici soudain devenu « *mon* Lord Sebastian » !

— Je ne plaisante pas, Julia, alors écoute-moi, je t'en prie ! Sais-tu qu'il s'adonne au jeu ? Et je ne te parle pas simplement de cartes ou de billard : il parie sur les courses de chevaux !

— Et alors, le prince de Galles aussi, que je sache ! répliqua Julia, pour qui la nouvelle n'en était pas une.

En réalité, la chose l'inquiétait bien plus qu'elle ne voulait le laisser paraître, mais elle tâchait de se rassurer en se disant que c'étaient là des peccadilles dont tous les hommes se rendent coupables, et que personne n'y pouvait rien.

— Et ce n'est pas tout, Julia ! On raconte qu'il n'a pour ainsi dire pas étudié à Oxford, et que, si on lui a donné son diplôme, c'est parce que Balliol, son collège, n'avait pas gagné de compétition depuis des années, et que les doyens ne voulaient pas recaler leur meilleur rameur.

— À d'autres ! Ce ne sont là que des racontars, protesta Julia en tourmentant nerveusement son ombrelle. Je n'aurais jamais cru que toi, Eleanor, tu t'abaisserais à propager ainsi de telles rumeurs...

— Julia ! Je sais bien que c'est un très beau jeune homme et qu'il est très riche, mais, en fin de compte, qui est-ce ? Peux-tu dire que tu le connais vraiment, que tu sais ce qu'il vaut, en tant qu'être humain, je veux dire ? interrogea Eleanor gravement.

— Juste ciel ! Mais oui, je le connais, bien sûr : c'est l'homme de ma vie, et il veut m'épouser ! N'est-ce pas suffisant ?

Apollon surgit alors sur le trottoir, plus fringant que jamais dans une nouvelle jaquette, coiffé d'un haut-de-forme et balançant sa canne à pommeau d'argent d'un air dégagé.

— Seigneur ! s'exclama-t-il, reconnaissant soudain les jeunes filles qu'il allait pour saluer distraitement. C'est mon jour de veine, aujourd'hui ! Figurez-vous que je sors de mon club un instant pour prendre l'air, et je tombe aussitôt sur deux des plus charmantes créatures qui soient ! Où allez-vous donc ainsi ? Je serais ravi de vous y accompagner !

Eleanor rougit à la pensée que le vicomte l'avait presque surprise à médire sur son compte.

— Ne vous donnez pas cette peine, milord, lui répondit-elle. Nous attendons simplement mon frère et Sir Hugh, qui sont entrés dans ce bureau de tabac et ne devraient plus tarder maintenant.

— J'ai donc de la chance, comme je le disais ! répéta galamment le jeune homme. Je vous tiendrai compagnie jusqu'à leur retour ! De quoi parliez-vous donc quand je suis arrivé ? Du temps, qui est splendide aujourd'hui, ou de vos propres personnes, qui l'êtes plus encore ?

Julia pouffa à ce trait d'esprit de son fiancé (mais non sans concevoir quelques doutes quant à sa maîtrise de la grammaire). Eleanor semblait gênée et ne cessait de regarder furtivement derrière elle, comme impatiente de voir revenir son frère et son fiancé. Consternée de devoir constater que les deux personnes qu'elle préférait au monde ne s'entendaient pas mieux, Julia entreprit de dissiper les craintes de son amie en lui démontrant qu'elles n'avaient pas lieu d'être.

— Quelle coïncidence, milord ! Eleanor me questionnait tout justement à votre sujet, minauda-t-elle.

— À mon sujet ?

Apollon examinait une montre en or, qu'il venait de sortir de son gousset.

— Qu'est-ce à dire, à mon sujet ?

— Mon amie, lui répondit la jeune fille en glissant un bras sous le sien, souhaite savoir absolument tout de vous !

— Ah, c'est donc ça, sourit Apollon. Je crains fort de la décevoir, dans ce cas, car je ne suis rien de plus que ce que l'on peut voir !

Julia, rieuse, lui pressa légèrement le bras.

— Voilà exactement ce que je lui disais à l'instant ! On lit en vous comme en un livre ouvert, n'est-ce pas ?

— De fait, approuva Apollon, mais l'ouvrage se révèle malheureusement tout aussi terne et assommant que ces vieux écrits poussiéreux de Walter Scott.

Si Julia fut atterrée d'entendre son auteur favori qualifié d'assommant et de terne, elle n'en renonça pas pour autant à prouver à Eleanor combien son fiancé était digne d'estime.

— Je voulais vous demander, reprit-elle avec un sourire engageant, de répéter pour mon amie cette anecdote si amusante que vous nous racontiez hier au soir !

Lord Sebastian eut l'air si ahuri que Julia dut lui rafraîchir la mémoire.

— Souvenez-vous, vous nous parliez de ce hongre que vous désiriez acquérir, l'autre jour, à Tattersall's !

— Ah oui, bien sûr, dit-il. Très drôle, en effet ! Voyez-vous, il y avait ce hongre...

Il interrompit aussitôt son récit : une petite main d'une propreté douteuse venait de le tirer par la manche.

— S'cuzez-moi, m'sieur, bredouilla une voix d'enfant. Z'auriez-vous pas une pièce pour un'or-ph'lin' qu'a faim ?

Lord Sebastian secoua violemment le bras pour se libérer des doigts crasseux qui avaient eu l'audace de le toucher et leva sa canne d'un geste menaçant.

— Bas les pattes ! s'écria-t-il. Tu oses porter la main sur moi, misérable !

La créature était de petite taille, et si maculée de boue de poussière qu'il en devenait difficile de déterminer s'il s'agissait d'un garçonnet ou d'une fillette (mais Julia, au vu de la longueur de sa tignasse, penchait pour la seconde hypothèse). Elle se recroquevilla et enfonça la tête dans les épaules.

— Oh m'sieur, s'iouplaît, j'voulais pas vous salir ! Faites escuse m'sieur, s'iouplaît, pardon, pardon !

Julia fit un pas en avant et s'interposa promptement ; non qu'elle s'attende vraiment à ce qu'Apollon frappe la fillette, mais elle n'aurait pu rester sans réaction.

— Nous savons bien que tu n'avais pas l'intention de salir le vêtement du monsieur, dit-elle avec toute l'apparence d'un calme qu'elle était pourtant bien loin de ressentir. Il a été surpris, tout simplement, n'est-ce pas, milord ?

Apollon abaissa sa canne et examina sa manche avec dégoût.

— Un habit flambant neuf ! Regardez-moi ça, maintenant, Julia ! s'indigna-t-il. Couvert de traces de doigts !

— Elle ne l'a pas fait exprès, plaida la jeune fille. N'est-ce pas, ma chérie ?

Mais la petite, effrayée par le geste menaçant et la canne brandie au-dessus de sa tête, sanglotait trop à présent pour répondre.

— Voyons, c'est fini, maintenant, la consola Julia en ouvrant son réticule et en sortant un mouchoir blanc avec lequel elle essuya le visage de l'enfant. Sèche tes larmes ! Lord Sebastian est vraiment désolé de t'avoir fait peur !

— Désolé ? Moi ? Pas le moins du monde ! objecta ce dernier en frottant sa manchette de son propre mouchoir. Ma jaquette est fichue, ces taches ne partiront pas de sitôt !

— Mais si, quelques cristaux de soude en rentrant et il n'y paraîtra plus, le rassura-t-elle.

Elle rangea son mouchoir et fouilla à nouveau dans son réticule.

— Tiens, c'est pour toi, reprit-elle en tendant un shilling à la petite.

C'était là une somme conséquente, assez pour un tour de M'attrape-qui-peut, et bien plus que suffisante pour acheter un petit pâté en croûte. L'enfant cessa de geindre sur-le-champ et, saisissant promptement la pièce qu'on lui tendait, s'éclipsa sans demander son reste avec une exclamation de gratitude.

— À quoi songez-vous donc, Julia ? protesta Apollon. Vous lui donnez un shilling pour la récompenser d'avoir souillé mon habit, c'est d'une logique confondante, vraiment !

Julia tira sur les cordons de son sac pour le refermer.

— Naturellement ! répliqua-t-elle sèchement. Vous avez bien vu qu'elle était à moitié morte de faim, la pauvre petite !

— Vous ne tarderiez pas à le devenir vous aussi, déclara Lord Sebastian sur ton exaspéré, si tout votre argent passait à acheter à boire à votre mère !

— Elle nous a dit être orpheline, lui rappela Julia avec chaleur. Elle n'a donc pas de parents !

— Bien sûr que si, soupira Apollon en levant vers le ciel ses yeux magnifiques. C'est ce qu'ils affirment tous, mais croyez-moi, cette enfant a bien quelque part une mère, et sans doute un père aussi. Et, si je puis me permettre de vous le rappeler, vous n'êtes pas riche au point de pouvoir gaspiller votre fortune en la distribuant à pareille racaille : ces gens vivent tous aux crochets des âmes trop sensibles comme la vôtre.

Julia se sentit soudain – sans trop en bien comprendre elle-même la raison – extrêmement contrariée.

— Vous ne pouvez pas prouver que cette enfant a menti, milord ! Vous n'en savez rien, absolument rien ! rétorqua-t-elle froidement.

Mais Nathaniel Sheridan et Sir Hugh approchaient.

— Et que ne savez-vous pas, Lord Sebastian ? interrogea ce dernier d'un ton enjoué.

— Mais rien, voyons, absolument rien, badina Apollon.

Le regard de Sir Hugh glissa du visage crispé de contrariété et empourpré de gêne de Julia à celui, toujours aussi magnifiquement composé, d'Apollon. Il émit un petit sifflement.

— Nous arrivons juste à temps, à ce que je vois, dit-il en donnant un petit coup de coude à Nathaniel, pour assister à la première querelle conjugale du jeune couple !

— Ce n'est pas une querelle, rectifia Eleanor au grand soulagement de son amie. Lord Sebastian conseillait simplement à Julia, qui a donné un shilling à une petite mendiante orpheline, de mieux utiliser son argent.

— Tiens donc ! dit Nathaniel en lançant à Julia un regard pénétrant.

De quoi se mêlait-il, et pourquoi fallait-il que ce soit précisément lui, et non un autre, qui vienne les importuner et les surprendre, Lord Sebastian et elle, au beau milieu d'une dispute... non, on ne pouvait appeler ça une dispute, mettons une... divergence de vues, oui, une légère divergence de points de vue. Et comme elle regrettait de ne jamais parvenir à conserver, devant le frère d'Eleanor, cette maîtrise de soi dont une vraie dame, s'il fallait en croire Madame, ne se départ jamais !

— La chose est cependant compréhensible, poursuivit froidement le jeune homme. On ne peut en effet s'attendre à ce que Julia, qui n'a elle-même plus de parents, reste insensible à la détresse d'une orpheline dans le besoin et bien plus pauvre qu'elle.

Julia dut réprimer une exclamation tant il avait touché juste : c'était là exactement ce qu'elle ressentait ! Comment diable pouvait-il le savoir ? Elle en venait presque à croire qu'il lisait dans ses pensées.

— À d'autres !

Lord Sebastian écarta la suggestion d'un geste.

— Vous ne soutenez tout de même pas, j'espère, que ma fiancée puisse avoir quoi que ce soit de commun avec ces misérables rebuts qui grouillent dans la ville, constamment en quête du moindre penny ! N'est-ce pas, Julia ?

Et, comme chaque fois qu'elle sentait les yeux clairs se poser sur elle, la jeune fille s'empourpra : n'était-ce pas le plus bel homme du monde, et n'était-il pas à elle, et à elle seule !

Mais même le plus bel homme du monde se trompe parfois.

— Au contraire ! déclara-t-elle d'un ton aussi détaché que possible. Une orpheline est une orpheline, après tout, et je remercie le ciel de n'avoir point connu la misère dans laquelle vit cette enfant ! J'ai eu, moi, la chance d'avoir un père pour pourvoir à mes besoins et assurer ma subsistance. Combien de ces malheureux pourraient-ils en dire autant ?

Julia se tut, consciente de l'effet qu'avait produit son petit discours. Elle lisait de l'admiration dans le regard chaleureux d'Eleanor, et Sir Hugh lui-même avait l'air impressionné. Nathaniel, qui raillait à l'ordinaire sans pitié tout ce que Julia pouvait dire ou faire, la considérait cette fois presque gravement. Apollon, lui, partit d'un grand éclat de rire et saisit la main de Julia.

— Je veux bien être pendu si vous n'êtes pas la plus délicieuse des créatures douées d'imagination ! s'exclama-t-il. Vous, dans une situation aussi lamentable que cette gamine ? Inconcevable ! Voyons, Julia, tout orpheline que vous soyez, vous ne vous retrouverez jamais seule, sans amis, à devoir mendier par les rues ! Vous êtes bien trop jolie, c'est impossible !

Le compliment était plaisant, et si Julia soupçonnait son fiancé de ne pas l'avoir tout à fait comprise, elle le lui pardonna, tant il lui semblait sincère. Du reste comment bouder durablement un homme tel qu'Apollon ?

Elle n'en fit pas moins en sorte que, par la suite, ils ne croisent plus de mendiant sur leur chemin.

— C'est l'homme de ma vie, et il veut m'épouser, n'est-ce pas suffisant ? avait-elle dit à Eleanor.

Plus tard pourtant, dans la solitude de sa chambre chez les Bartholomew, Julia se surprit à se poser à elle-même la question. Après tout, le Mollusque lui aussi avait voulu se marier avec elle, et cela ne la rendait pas pour autant plus séduisante, cette lavette qui tournait de l'œil devant la première curiosité biologique venue et qui jugeait Julia bien incapable de nager ou d'être aimée d'un homme tel qu'Apollon ! Un être néfaste et répugnant, voilà ce qu'était Harold Blenkenship !

Lord Sebastian, lui, n'avait rien de néfaste ni de répugnant. Il faisait sans doute preuve d'un certain manque d'indulgence envers les jeunes mendiants, mais *personne* n'aimait à les croiser constamment dans les rues, à vous tendre leurs menottes souillées en espérant une pièce qui – il avait sans doute raison sur ce point – ne servirait qu'à acheter à boire à des parents aussi mal débarbouillés qu'eux. Julia ne pouvait décemment pas lui reprocher son aversion ; et force lui était de reconnaître que, même si elle avait réussi, à grand renfort de cristaux de soude, à faire disparaître la tache qui déparait la manche de son fiancé, l'opération avait pris un temps considérable, et le tissu perdu de son éclat.

Apollon avait la tête près du bonnet, on ne pouvait le nier. Julia, qui avait pris conscience de ce trait pour la première fois en le voyant menacer de sa canne la petite orpheline, en avait été sur le coup très choquée, mais les hommes n'étaient-ils pas presque tous irascibles ? Et ne s'était-il pas, en fin de compte, abstenu de frapper l'enfant ? Cela prouvait, du moins, qu'il savait se maîtriser, or on ne pouvait en dire autant de nombre de ces jeunes gentlemen.

En outre, elle ne l'avait jamais, au grand jamais, vu lever la main sur l'un de ses chevaux, qu'il entourait au contraire de tous ses soins et à qui il vouait une affection des plus touchantes.

Oui, il disputait de temps à autre, avec un plaisir manifeste, une partie de whist. Cela n'en faisait pas pour autant un joueur invétéré, mais montrait simplement qu'il trouvait stimulante l'excitation du jeu !

Et le fait qu'il connaisse mal les œuvres de la plupart des poètes que Julia chérissait tant n'en faisait pas pour autant un âne : son tempérament athlétique ne lui laissait guère le loisir de s'adonner à la lecture, tant il était pris par ses parties de chasse ou de bagatelle.

Rien d'étonnant à ce que Nathaniel, qui n'avait rien d'un sportif – Julia le savait bon cavalier, mais peu amateur de chasse, et encore moins de jeux de balle –, et qui semblait croire qu'une journée digne de ce nom se passait, penché sur des colonnes de chiffres, à gérer au mieux le domaine de son père, rien de surprenant, donc, à ce qu'il ne s'entende pas très bien avec un homme tel que Lord Sebastian, ne serait-ce que parce que leurs natures se révélaient si profondément différentes. Tout le mal venait, comme Julia l'affirma à Eleanor, d'une question de préventions : Nathaniel était de parti pris contre Apollon pour l'unique raison que ce dernier lui ressemblait si peu, mais ses préjugés ne manqueraient pas de s'estomper avec le temps, quand tous deux auraient appris à mieux se connaître.

En attendant, les rapports entre Julia et le frère de sa meilleure amie restaient tendus, comme en témoigne l'incident qui se produisit quand la jeune fille le croisa à l'improviste à Almack, le lendemain soir.

Nathaniel prenait une coupe de punch sur le buffet. Julia, qui, après ses trois danses de la soirée avec Apollon, se faisait scrupule d'accepter immédiatement un nouveau cavalier (somme toute, elle était déjà presque mariée !), trouvant l'atmosphère des salons plus étouffante encore qu'à l'accoutumée, cherchait quelque chose à boire. Elle le vit de loin, près de la longue table blanche, et approcha d'un pas un peu hésitant : ses fiançailles étaient si fraîches, leur annonce publique si récente, qu'elle ne se sentait pas le courage d'entendre, à leur propos ou à celui de son promis, le moindre commentaire malveillant ni la moindre plaisanterie.

Elle n'avait pas à s'inquiéter : si Nathaniel la vit bien – leurs regards s'étaient croisés au-dessus du bol à punch, elle en était certaine –, il ne daigna même pas lui adresser la parole. Saisissant deux coupes sur la table, il lui tourna posément le dos avant de s'éloigner, son frac noir bien coupé se fondant progressivement, jusqu'à disparaître, parmi les autres.

Julia resta figée sur place, pétrifiée, pendant soixante bonnes secondes, avant de réaliser pleinement l'énormité de ce qui venait de se produire : Nathaniel Sheridan l'avait snobée !

La chose ne lui était bien sûr pas inconnue, Madame ayant instruit ses élèves des dangers d'une telle conduite, qui consiste à ignorer en société une personne de sa connaissance. Le snobisme, leur avait-elle enseigné, était un comportement grossier, immature et d'une cruauté impardonnable.

Ce mal s'avérait pourtant parfois nécessaire : il advenait, à l'occasion, qu'un soupirant par trop assidu doive être snobé, pour préserver la réputation d'une femme ; en outre, si une jeune fille s'abaissait à médire de l'une ou l'autre de ses compagnes, la victime était aussi parfaitement en droit de la snober.

Mais que Nathaniel Sheridan, le frère de sa meilleure amie, la snobe, elle, Julia Sparks ! Non, ce malotru n'avait pas l'ombre d'une excuse, et s'il croyait s'en tirer comme ça, il allait devoir y réfléchir à nouveau : Julia n'était pas de celles qui essuient pareil affront en silence !

La jeune fille reposa sa coupe sur la table et s'enfonça à son tour dans la foule des habits noirs, fermement résolue à retrouver l'insolent et à l'obliger à lui présenter des excuses pour son impolitesse et ses manières épouvantables. Madame, pour qui une confrontation directe ne saurait dénouer pareille situation, ne leur aurait jamais conseillé d'agir ainsi, mais Julia était trop furieuse pour songer aux sages recommandations de la directrice. Elle savait seulement que Nathaniel Sheridan était sur le point de regretter amèrement le jour où il avait eu l'impertinence de snober Julia Sparks.

Ce qui explique sans doute pourquoi, quand Apollon l'approcha, elle l'écarta d'un sec « Pas maintenant, milord, je vous prie ! ». L'heure n'était plus aux divinités, elle avait bien d'autres chats à fouetter : un simple mortel devait être remis sans plus tarder à sa place.

Elle le trouva dans l'embrasure d'une fenêtre, bavardant gaiement avec Stella Ashton, qui avait, pour cette soirée, revêtu une robe dont le jaune hideux accentuait impitoyablement la blancheur cireuse de son teint : c'était pour elle qu'il venait d'aller chercher du punch. Tous deux regardaient en riant quelque chose, dans la rue en contrebas.

Oui, l'infâme riait ! La moutarde monta soudain au nez de Julia. Elle se sentit bouillir de fureur, craignit un instant d'exploser et se contint non sans difficulté.

— Permettez ! les apostropha-t-elle brutalement (Madame en aurait été horrifiée).

— Oh, bonsoir, Julia ! sourit gentiment Stella de derrière sa coupe.

— Bonsoir, Stella, répondit-elle avec un bref signe de tête.

Elle se tourna vers Nathaniel, qui la dévisageait comme si elle était soudain devenue folle.

— Je souhaiterais vous entretenir quelques instants, *en privé*, monsieur Sheridan, je vous prie.

— Mais, bien volontiers, Miss Sparks ! répliqua Nathaniel en levant un sourcil d'un air hautement amusé.

Il posa sa coupe de punch sur le rebord de la fenêtre et s'inclina devant sa cavalière.

— Si vous voulez bien m'excuser une minute, Miss Ashton !

Les grands yeux clairs – délavés, selon Julia – de Stella papillotèrent, et la jeune fille approuva d'un air vaguement égaré, comme si, au lieu de lui demander la permission de confisquer momentanément son cavalier, on était venu lui annoncer qu'un incendie s'était déclaré au salon.

Julia entraîna le jeune homme un peu à l'écart, dans un coin sombre et plus discret de la pièce, là où les danseurs ne sévissaient pas et où la musique de l'orchestre était moins assourdissante avant de se tourner brusquement vers lui. Le visage de Nathaniel lui apparut alors tout proche du sien : tous deux se tenaient beaucoup plus près l'un de l'autre qu'elle ne se l'était imaginé, mais comme reculer aurait passé pour une dérobade et risqué de lui faire croire qu'il l'intimidait, ce qui n'était absolument pas le cas, elle ne bougea pas.

— Pour qui vous prenez-vous, Nathaniel Sheridan, et comment osez-vous me snober ainsi ? siffla-t-elle d'une voix juste assez forte pour qu'il l'entende, mais trop basse pour que Stella Ashton, qui ne les quittait pas des yeux, ne la comprenne.

Le jeune homme eut la décence de rougir.

— Julia, je veux dire... je ne vous ai pas snobée, Miss Sparks, marmonna-t-il confusément – le regard restait indéchiffrable derrière la boucle de cheveux qui retombait sur son front et dissimulait son expression.

— N'essayez pas de m'en faire accroire ! Nos yeux se sont croisés, à l'instant même, au buffet, mais vous avez détourné les vôtres, et vous êtes parti sans daigner m'adresser la parole !

— Je ne savais pas quoi vous dire, se justifia Nathaniel.

— Oh, et je suppose que quelque chose comme « Bonsoir, Miss Sparks ! » se serait avéré par trop banal, ou indigne d'un grand esprit tel que le vôtre ?

Julia fut assez contente de cette dernière réplique : ce jeune homme était en effet bien trop imbu de sa personne, qui se permettait de considérer la poésie comme une perte de temps !

— Vous avez parfaitement raison, j'aurais dû vous saluer, admit aussitôt Nathaniel.

La jeune fille, qui s'était attendue à une dispute en règle, fut prise totalement au dépourvu par cette brusque apparence de reddition : jamais encore elle ne l'avait vu déposer si volontiers les armes ni capituler aussi vite.

— Vous sentez-vous bien ? lui demanda-t-elle avec une pointe d'anxiété.

Il la regarda posément, de derrière sa mèche.

— Naturellement ! Quelque chose vous ferait-il en douter ?

— Simplement que vous n'avez pas pour habitude d'admettre que je puisse avoir raison, et encore moins de me laisser si facilement le dernier mot, dit-elle en scrutant le visage du jeune homme. Êtes-vous bien sûr de ne pas avoir de fièvre ?

— Certain, répondit-il en relevant soudain la tête.

La mèche glissa, dévoilant enfin ses yeux. Il était furieux.

— Mais je me demande, poursuivit-il, dans quelle mesure je ne devrais pas vous renvoyer la question : qu'est-ce qui a bien pu vous passer par la tête, pour que vous acceptiez d'épouser ce butor ?

Julia inspira profondément. C'était donc ça ! Elle aurait dû s'en douter, mais elle ne l'aurait pas cru capable de tant de grossièreté !

— S'il me faut comprendre, monsieur Sheridan, que, par ce terme scandaleusement déplacé, vous entendez désigner Lord Sebastian, alors, sachez – bien que cela ne vous regarde nullement – qu'il se trouve que je l'aime, et qu'il m'aime !

— Vraiment, Miss Sparks ? questionna-t-il froidement, un sourcil levé. En êtes-vous vraiment sûre ?

— Bien évidemment ! s'écria-t-elle, aussi choquée que s'il l'avait giflée. Pourquoi aurait-il demandé ma main, sinon ?

— Je n'en sais rien, rétorqua le jeune homme sur le même ton glacial, mais vous l'a-t-il dit ?

— Quoi donc ?

Julia qui, dans son indignation, avait négligé de parler doucement, réalisa soudain qu'ils commençaient à attirer l'attention : Stella Ashton n'était plus la seule, d'autres interrompaient aussi leur conversation pour les fixer du regard. Mme Vieuxvincent, qui répétait toujours qu'une vraie dame ne fait jamais d'esclandre, aurait certainement eu honte pour elle, mais la jeune fille jugea qu'en la circonstance, on pouvait lui trouver des excuses.

Nathaniel était visiblement excédé.

— Vous a-t-il dit qu'il vous *aimait* ? précisa-t-il.

Elle mourait d'envie de lui clouer le bec une bonne fois pour toutes, de lui répondre par l'affirmative et de lui soutenir que, depuis leurs fiançailles, Lord Sebastian n'avait pas manqué de lui déclarer sa flamme une bonne centaine de fois par jour. Toutefois, force lui était de reconnaître que son soupirant se montrait des plus désinvoltes et qu'il ne lui avait jamais avoué son amour : il disait *aimer* son nouveau cheval de chasse, celui qui mesurait dix-huit paumes au garrot et avait l'encolure arquée comme un cygne, ainsi que ce gilet couleur sable, qu'elle lui avait taillé dans une chute de cette cape d'opéra qu'elle transformait en liseuse.

Mais jamais encore elle ne l'avait entendu dire qu'il l'aimait, elle.

Après tout, se raisonna-t-elle, quelle importance auraient revêtue ces quelques mots, entre deux êtres si éperdument épris l'un de l'autre ? Ne lui *prouvait-il* pas constamment son amour, de mille et une façons ? Et le diamant, sur la bague de fiançailles qui ornait sa main gauche, n'en témoignait-il pas ?

Nathaniel ne lui laissa pas le temps de protester.

— C'est donc qu'il ne l'a pas fait, reprit-il méchamment. C'est bien ce que je pensais ! Demandez-lui, Julia – ou demandez-vous, plutôt –, pourquoi un homme dans sa position accepte d'épouser une jeune fille – une jeune *orpheline* – ne disposant que d'une centaine de livres de revenu par an !

Elle en resta pantoise, interloquée de l'entendre reprendre ainsi les paroles du Mollusque.

— Interrogez-le, Julia ! insista-t-il. Je vous mets au défi de le faire !

— Quelle réponse escomptez-vous, et qu'espérez-vous d'une telle démarche ? cracha-t-elle, furieuse. Vous avez de toute évidence une idée derrière la tête, ou vous ne parleriez pas avec tant d'assurance. Si vous savez quelque chose que j'ignore, dites-le, et abandonnez donc cette réserve que, du reste, je m'explique mal, étant donné votre habituel manque d'égards pour mes sentiments !

Un muscle qu'elle n'avait encore jamais remarqué tressauta soudain sur la mâchoire de Nathaniel.

— Vous ne souhaitez pas que l'on vous ménage ? Parfait ! Demandez donc à votre tourtereau de vous parler de Pease !

— De Pise ? répéta Julia, surprise. Mais qu'irait faire Lord Sebastian en Toscane ?

— Que me chantez-vous là ? Il s'agit bien de l'Italie ! persifla-t-il. Questionnez votre précieux Lord Sebastian au sujet d'un nommé Edward Pease, et voyez ce qu'il aura à vous répondre !

— Edward Pease ? Qui est-ce ?

— Lord Sebastian vous le dira, affirma Nathaniel d'un air entendu. Si du moins il est, ne serait-ce que la moitié de l'homme de cœur pour lequel vous le tenez !

— Je le saurai donc, assura la jeune fille avec bien plus de confiance qu'elle n'en ressentait réellement, car nous n'avons aucun secret l'un pour l'autre, sachez-le !

— Dans ce cas, vous n'avez pas la moindre raison de vous faire du souci, dit Nathaniel, n'est-ce pas ?

— Pas la moindre en effet, répondit-elle, hautaine, et vous me voyez l'esprit on ne peut plus tranquille !

— Je suis, rétorqua Nathaniel, bien aise de l'apprendre. N'oubliez pas de lui poser la question !

— Je n'y manquerai pas, dit Julia. Edward Pease, dès ce soir, ou, au plus tard, demain à la première heure.

— Parfait ! dit Nathaniel. Faites-le donc !

— Sans faute, dit Julia.

— Splendide !

— Parfait !

Réalisant soudain qu'il ne servait à rien de poursuivre ainsi, elle tournait les talons et allait quitter la pièce, lorsque ses yeux rencontrèrent ceux de Stella, qui n'avait cessé de la dévisager avec stupéfaction. Julia aurait voulu effectuer une sortie aussi digne et dramatique que possible, mais elle ne put résister à l'envie de s'arrêter et de lui adresser la parole.

— Ce jaune, Stella, ne te sied pas du tout, murmura-t-elle, et je te conseillerais vivement de faire teindre ta robe d'une autre couleur : un grenat ou un vert émeraude, ce me semble, conviendraient bien mieux à un teint comme le tien !

Sur ce et sans laisser à la malheureuse le temps de réagir, Julia, fuyant le regard trop pénétrant de Nathaniel Sheridan, quitta prestement le salon.

— Qui est Edward Pease ? demanda Julia au petit déjeuner, le lendemain matin.

Lord Farelly laissa choir d'un coup son toast et le couteau avec lequel il le beurrait et proféra un juron qui embrasa les oreilles de toutes les dames présentes.

— Fi donc, Jarvis ! s'exclama Lady Farelly. À quoi songez-vous ? Et à table, qui plus est !

Rouge de confusion, Lord Farelly marmonna une excuse, accepta le couteau propre que lui présentait un valet de pied et prit un autre morceau de toast.

— Revenons à nos moutons, dit Lady Farelly. De quoi parlions-nous ? Ah oui ! Honoria, ma chérie, je voulais te demander si tu portais une nouvelle robe à Almack, hier soir. Je ne crois pas l'avoir déjà vue. Tu en avais une, je me souviens, d'une teinte semblable, mais ornée de plumes d'autruche, et non d'un galon doré.

— C'est bien la même, maman, répondit Honoria d'un ton léger en versant une cuillerée de sucre dans son café. Julia m'a dit que les plumes étaient superflues, et qu'elles faisaient de l'ombre à ma beauté naturelle.

Lady Farelly eut l'air surpris.

— Vraiment, Miss Sparks ? Je vous en félicite, le ruban a réellement transfiguré ce vêtement !

— Je vous remercie, milady, murmura Julia poliment.

Mais sa courtoisie n'était que de façade, et elle se sentait, en réalité, rien moins qu'aimable. Il ne lui avait pas échappé que, non seulement personne n'avait daigné répondre à sa question, mais tous semblaient s'être concertés pour balayer le sujet sous le tapis, un peu comme s'il s'agissait des miettes de l'infortuné toast de Lord Farelly.

Zut de zut de flûte ! pensa Julia.

Elle avait jusqu'alors écarté de son esprit l'allusion à Edward Pease, comme une chose que Nathaniel aurait inventée de toutes pièces, dans le feu de la dispute, par jalousie envers Lord Sebastian. Non qu'elle soupçonnât le frère de son amie d'éprouver pour elle quoi que ce soit d'autre qu'une vague affection fraternelle, mais y avait-il un jeune homme qui n'enviait pas un tant soit peu le vicomte de Farnsworth ?

Cependant elle ne pouvait plus à présent s'empêcher de se demander ce que le frère d'Eleanor savait exactement, car il devait bien savoir quelque chose : si Edward Pease n'existait pas, Lord Farelly n'aurait pas laissé échapper son toast.

Où donc Nathaniel avait-il entendu ce nom ? Et quel lien y avait-il entre ce mystérieux individu, Apollon, et elle-même ?

Inutile de chercher à se renseigner auprès d'Eleanor : son amie était devenue incapable, ces derniers temps, de penser à autre chose qu'à Sir Hugh, encore Sir Hugh, et toujours Sir Hugh ; et la fierté interdisait à Julia de retourner questionner Nathaniel : il lui avait dit de demander à Lord Sebastian, elle l'avait fait.

Sauf que, quand elle avait posé la question, ce dernier avait été le seul – avec Honoria – à continuer à manger comme si de rien n'était, à croire qu'il n'avait pas la moindre idée de ce dont elle parlait.

Julia se résolut donc à intercepter son fiancé un peu plus tard dans la matinée, alors que celui-ci se préparait pour sa promenade à cheval quotidienne ; la jeune fille vérifia d'un coup d'œil qu'ils étaient bien seuls et ne risquaient pas d'être entendus.

— Lord Sebastian ? Je me demandais... et *vous*, savez-vous qui est Edward Pease ?

Apollon enfilait ses gants. Il eut pour sa fiancée un sourire attendri. On ne pouvait s'y méprendre, songea-t-elle : l'expression du jeune homme montrait bien combien il l'aimait !

Et ces baisers qu'ils échangeaient – un par jour seulement, eu égard aux convenances, et jamais avant le soir, au moment de se séparer et de regagner leurs chambres respectives pour la nuit –, ces baisers débordaient eux aussi d'affection. Non, quoi que Nathaniel puisse dire ou penser, Lord Sebastian ne l'épousait pas de mauvaise grâce ! Il l'aimait, au moins un peu, c'était indéniable.

— Encore ce Pease !

Il se pencha et taquina une boucle noire échappée de son bonnet.

— Jamais entendu parler de lui ! Qu'est-ce qu'il a fait ? J'espère qu'il ne s'est pas permis d'importuner ma petite chérie !

Julia fut submergée par une vague de soulagement. *Il ne savait pas !* Elle en était sûre à présent : Lord Sebastian ne connaissait aucun Edward Pease. Nathaniel se trompait.

Sauf que...

Sauf que Nathaniel Sheridan ne se trompait pour ainsi dire jamais ; et, même s'il lui arrivait à l'occasion de se fourvoyer dans son jugement – comme pour Apollon, par exemple –, il ne commettait pas d'erreurs de ce type.

C'est pourquoi Julia décida d'user d'un subterfuge qui n'était pas dans ses habitudes : peu après le départ de son fiancé, elle prétexta une migraine pour se retirer dans sa chambre et garder le lit.

Julia étant rarement, sinon presque jamais, malade, son indisposition fut prise très au sérieux par toute la maisonnée. Lady Farelly offrit généreusement de décommander la séance d'essayages prévue avec son couturier pour rester à son chevet, au cas où elle aurait besoin d'un peu de glace pilée. Lady Honoria déclara pour sa part qu'il n'était pas question d'aller pique-niquer avec Philippa et Célestine Adams, du moins, pas avant que Julia ne se sente mieux, et qu'elle se refusait à abandonner son amie.

Bien que touchée par tous ces témoignages d'affection, Julia ne put réprimer un certain agacement : comment mener à bien son plan, si Lady

Honoria et sa mère s'obstinaient à ne pas quitter sa chambre ?

Elle supplia donc toutes ces bonnes âmes de ne pas bouleverser leurs projets pour elle et de ne renoncer à rien, les assurant qu'elle souhaitait simplement se reposer un peu, qu'elle pouvait très bien, en cas de besoin, envoyer Martine chercher de la glace, et que de savoir qu'elle avait désorganisé la journée de Lady Farelly et de sa fille ne l'aiderait pas à se rétablir, bien au contraire.

La chose ne fut pas des plus aisées, mais elle parvint finalement à les convaincre de la laisser seule. Dès qu'elle entendit la porte d'entrée se refermer, elle se releva d'un bond, au grand effarement de sa femme de chambre.

— N'aie pas peur, Martine, tout va bien ! dit-elle en se penchant pour nouer les rubans de ses bottines d'intérieur. Je me porte comme un charme. Sois gentille, veux-tu, et siffle si tu entends quelqu'un venir, surtout si c'est Lord Farelly !

Mais la jeune domestique trouvait choquant le comportement de sa maîtresse et refusa catégoriquement de lui rendre ce service ; elle se montra si peu disposée à coopérer que Julia finit par lui donner un souverain en lui intimant l'ordre de se mêler de ses propres affaires. Par suite de quoi Martine se retira dans un coin de la pièce avec un air renfrogné et sa boîte à ouvrage, grommelant d'obscures prophéties en français sur les jeunes filles qui fourrent leur nez là où il n'a rien à faire et finissent par s'en mordre les doigts.

Julia comprenait parfaitement le français mais fit la sourde oreille, et elle se glissa hors de la pièce, fermement décidée à mettre son nez précisément là... à savoir, dans les appartements privés de Lord Farelly. Elle n'avait pas la moindre idée de ce qu'elle allait y chercher, mais s'il existait dans la maison, raisonnait-elle, un endroit où l'on devait logiquement s'attendre à trouver un indice quant à l'identité de ce mystérieux Edward Pease, ce ne pouvait être que le cabinet de travail du lord, pour qui – contrairement à son fils – ce n'était manifestement pas un inconnu. Il n'était donc pas totalement inconcevable que les deux hommes aient correspondu, et que ces lettres se trouvent, en ce moment même, sur le secrétaire du lord, à attendre que, par le plus grand des hasards, Julia ne les y découvre.

Mme Vieuxvincent réprouvait toujours très sévèrement toute forme d'indiscrétion, et Julia n'en aurait jamais été réduite à pareille extrémité si Lord Farelly lui avait répondu ; mais, étant donné qu'il avait tenté lui-même, avec un manque de doigté flagrant, d'éluder la question, elle se sentait le droit de mener sa propre enquête sans s'embarrasser de trop de scrupules.

Descendant à pas feutrés le couloir en direction du bureau, elle n'en regarda pas moins à plusieurs reprises par-dessus son épaule pour s'assurer qu'aucun domestique ne traînait dans les parages, mais elle ne rencontra personne et put se faufiler sans être vue dans la grande pièce à boiseries d'acajou.

Lord Farelly avait quitté la maison pour se rendre à ses bureaux de Bond Street directement après le petit déjeuner... et la question toujours sans réponse de Julia. Son cabinet particulier, qui faisait également office de bibliothèque, gardait l'odeur entêtante de la pipe qu'il aimait à fumer lorsqu'il était seul ; sur les murs, entre les rayonnages chargés de livres, étaient accrochés quelques portraits de famille : aucun des ancêtres qui la contemplaient n'était beau comme Lord Sebastian, et tous semblaient jouir d'un embonpoint certain, à l'instar de son père, qui n'avait rien d'un poids plume.

Julia se rappela brusquement à l'ordre : elle n'était pas venue pour essayer de se représenter à quoi pouvait risquer de ressembler son mari dans une vingtaine d'années, mais pour fourrer son nez dans les affaires de Lord Farelly.

Ce qu'elle s'empressa de faire.

Elle maîtrisait parfaitement l'art de fouiller dans les tiroirs d'autrui sans laisser aucune trace de son passage : elle y avait eu recours plus d'une fois en pension, lorsque, en prévision d'un pique-nique nocturne, ses compagnes l'avaient chargée de subtiliser la clef du garde-manger des appartements de Madame. Quel que soit l'endroit où cette dernière s'ingéniait à la dissimuler, Julia ne manquait jamais de la retrouver, et quand, le lendemain matin, devant la cuisinière éplorée qui se lamentait sur la disparition de son gâteau au chocolat, Madame exigeait de savoir qui avait bien pu commettre un tel forfait, elle savait tout aussi bien qu'une autre feindre l'innocence et promettre, la main sur le cœur, qu'elle n'y était pour rien. Jamais elle n'avait été prise en flagrant délit, ni même, semblait-il, sérieusement soupçonnée : elle aurait fait un cambrioleur de premier ordre.

Elle ne tarda pas cette fois encore à mettre la main sur ce qu'elle cherchait. Dans le tiroir du milieu du secrétaire de Lord Farelly se trouvait toute une pile de lettres dont l'expéditeur n'était autre que ce même Edward Pease. Julia les prit et s'installa pour les lire tout à son aise sous le meuble, de façon à n'être pas vue si, par mal-chance, une domestique entrait dans la pièce pour épousseter.

Ce qu'elle lut dans ces lettres la troubla gran-dement : il apparut assez rapidement que M. Pease travaillait pour le compte d'une société appelée Stockton & Darlington, ce qui parut à la jeune fille pour le moins curieux, dans la mesure où Stockton et Darlington étaient aussi le nom de deux des villes proches de l'Abbaye de Beckwell.

Plus singulier encore, ce M. Pease semblait tout aussi passionné de trains que son correspon-dant. Ses lettres étaient, pour la plus grande part, consacrées à des inventions en rapport avec le chemin de fer, comme la Blutcher, une nouvelle locomotive que l'on utilisait à présent dans les mines de Killingworth et qui s'avérait capable, s'il fallait en croire M. Pease, non seulement de trac-ter un poids de charbon égal à celui que déplacent habituellement dix chevaux de trait, mais aussi de recommencer autant de fois que nécessaire, sans avoir jamais besoin de repos.

Julia en sut bientôt beaucoup plus sur cette invention qu'elle ne l'aurait souhaité. Comment pouvait-on s'extasier ainsi interminablement sur une machine, se demandait-elle, même s'il s'agis-sait, comme on l'affirmait, d'une innovation révolutionnaire ? Entiché comme il l'était de chemins de fer, Lord Farelly trouvait très probablement le sujet des plus fascinants ; Julia, quant à elle, en eut vite par-dessus la tête et se prit à bâiller d'ennui dès le deuxième paragraphe.

En outre, elle s'était donné tout ce mal en vain semblait-il : nulle part elle n'avait trouvé trace de quoi que ce soit la concernant, de près ou de loin ; son nom n'apparaissait pas une seule fois dans cette correspondance, et rien n'y était mentionné qui permette de confirmer, ne serait-ce qu'un peu, les soupçons de Nathaniel à l'égard de Lord Sebastian.

Quant à Edward Pease, c'était à l'évidence tout simplement un homme qui partageait la passion de Lord Farelly pour les locomotives. Il n'y avait pas à chercher plus loin.

Bien que plutôt satisfaite, dans l'ensemble, du résultat de ses investigations, Julia n'en restait pas moins assez mécontente d'elle-même : Nathaniel était donc parvenu, non seulement à la faire douter de son fiancé, mais – pire encore – à lui faire remettre en question son propre jugement ! La découverte semait le trouble dans son esprit. Elle la bouleversait.

Julia rangeait les lettres dans l'ordre où elle les avait trouvées quand un papier, échappé de la pile, tomba sur le tapis. Elle le ramassa et allait pour le remettre machinalement en place lorsqu'un détail attira son attention.

C'était une feuille de papier ministre, d'un format plus petit et sur laquelle, contrairement aux autres, figurait un schéma. Julia le trouva de prime abord incompréhensible. Elle le tourna et retourna en tous sens, perplexe : le dessin lui rappelait vaguement quelque chose, sans qu'elle puisse préciser quoi.

Et soudain, elle comprit : cette ligne courbe au milieu représentait la Tweed, un cours d'eau qu'elle connaissait bien puisque la petite rivière qui traversait en murmurant les prairies de l'Abbaye de Beckwell, celle-là même où le Mollusque avait voulu l'empêcher de se baigner, allait s'y jeter. Oui, ce croquis était un plan... de cette région du Northumberland, autant dire de son pays natal !

Mais, même une fois la Tweed identifiée, la plupart des autres traits et signes tracés sur la feuille demeuraient mystérieux. Étant donné sa position sur la rivière, ce X indiquait sans doute les mines de Killingworth ; en partait une ligne hachurée sur toute sa longueur de petits traits perpendiculaires régulièrement espacés, comme une échelle, qui longeait la rivière, traversait l'endroit exact où se serait trouvée l'Abbaye de Beckwell (si du moins on avait pris la peine de l'indiquer) et continuait tout droit jusqu'à Stockton, à quelques miles de là.

Sauf que celui qui avait dessiné la carte – et tout laissait supposer, pensa Julia, qu'il s'agissait de ce même Edward Pease, puisqu'il avait rédigé les lettres dans lesquelles elle était insérée – n'avait pas marqué d'un quelconque symbole l'emplacement de l'Abbaye. Devait-elle en conclure qu'elle interprétait mal le dessin, qu'elle se fourvoyait du tout au tout ? Il n'existait certainement aucune route qui menait, comme cette curieuse ligne hachurée, de Killingworth à Stockton.

C'est alors qu'elle faisait une fois de plus pivoter la feuille songeusement que tout s'éclaircit subitement.

Ce n'était pas une route, pas à proprement parler.

Cette ligne hachurée représentait un *chemin de fer*.

Elle en était sûre, à présent : le tracé évoquait des rails, comme ceux du M'attrape-qui-peut.

Et cette ligne passait au beau milieu de l'Abbaye de Beckwell !

Tout absorbée par l'examen du document, préoccupée, Julia n'entendit pas les pas approcher dans le couloir, mais une quinte de toux lui fit soudain prendre conscience qu'elle n'était plus seule. Elle se figea aussitôt sur place, osant à peine respirer, recroquevillée sous le bureau protecteur de Lord Farelly.

Le meuble lui cachait la pièce et elle tendit l'oreille pour tâcher de déterminer qui était l'intrus : elle savait n'avoir rien à redouter des domestiques, ni de Jennings, le majordome, mais si, par malheur, Lord Farelly, rentré inopinément, venait dans son cabinet de travail s'installer à son secrétaire, et s'il découvrait Julia là où il mettait habituellement les pieds, la jeune fille se retrouverait *ipso facto* dans une situation épineuse, d'où ne manqueraient pas de découler nombre de désagréments.

On toussa à nouveau dans la pièce.

— Ah, la voici ! Je lui avais pourtant bien dit qu'il l'avait laissée ici, il perdrait sa propre tête un jour, que je n'en serais pas autrement étonnée !

La nuque de Julia fourmilla de soulagement : ce n'était que Mme Steadman, la gouvernante. Risquant un œil, elle la vit sortir de la pièce, une des redingotes d'Apollon sur le bras : celui-ci l'avait probablement oubliée, l'autre soir, quand son père l'avait convié à venir prendre un verre de cognac avant d'aller se coucher.

La porte se referma derrière la brave femme et Julia, à nouveau seule, respira enfin librement. Elle remit en toute hâte les lettres dans le tiroir, puis se releva et inspecta d'un rapide coup d'œil la pièce pour vérifier qu'elle la laissait exactement dans l'état où elle l'avait trouvée. Tout paraissait en ordre, la seule différence que Lord Farelly risquait de noter à son retour étant l'absence de sa carte, glissée à présent dans l'une des manches du vêtement de la jeune fille. Le comte ne manquerait sans doute pas de s'interroger sur cette étrange disparition, mais jamais il n'en viendrait à soupçonner sa jeune invitée : ne se comportait-elle pas toujours en vraie dame ?

Une dame bien déterminée à aller sur-le-champ interroger quelqu'un, migraine ou pas.

10

Il était en retard.

Elle ne pouvait décemment pas l'en blâmer : ce n'était pas comme si leur toute dernière – ou, plus exactement, avant-dernière – rencontre risquait de lui avoir donné terriblement envie de la revoir.

Il n'empêche, faire attendre ainsi une dame n'était pas très poli ; surtout considérant qu'elle était seule, sans escorte ni cavalier, et dans une situation qui devenait à chaque minute plus périlleuse : si par malheur Lady Honoria – ou, le ciel nous en préserve, sa mère ! – rentrait à la maison avant Julia et constatait son absence, la jeune fille pouvait s'attendre à devoir s'expliquer sérieusement : une dame ne donne pas de rendez-vous dans un jardin public à un homme, même s'il s'agit d'un parent éloigné.

— S'il vous plaît, mam'zelle, donnez-moi un penny !

Julia tressaillit. Debout près de son banc, une vieille femme, les épaules et la tête recouvertes d'un châle d'une étoffe trop lourde pour la touffeur de cette fin d'après-midi, tendait vers elle une main noueuse.

— Un demi-penny, peut-être ? Une petite pièce, au moins, ma jolie ! insistait la vieille.

Le cœur battant toujours la chamade – rien d'étonnant à ce qu'elle se sente nerveuse, au souvenir de ce qui s'était produit la dernière fois qu'elle s'était aventurée dans ce parc –, Julia ouvrit son réticule et en tira un penny qu'elle déposa dans la paume tendue de la mendiante.

— Que le ciel vous le rende !

La femme avait tout d'une sorcière et bien besoin d'un bain, songea Julia qui n'aimait rien tant que se lancer dans de grands projets et qui, si elle n'avait logé chez les Bartholomew, l'aurait volontiers ramenée à la maison pour tenter de la débarbouiller. Elle se dirigeait à présent vers le couple de jeunes gens qui occupait le banc voisin et qui, à en juger par la façon scandaleuse dont ils se tenaient, étaient soit fraîchement mariés, soit particulièrement doués pour semer leur chaperon. Julia, qui avait choisi l'endroit précisément parce qu'on y était hors de vue de l'allée cavalière, comprenait maintenant qu'elle n'avait malheureusement pas été la seule en quête de solitude et de discrétion, et elle se félicitait à part soi de ce qu'Apollon et elle-même se comportent avec un peu plus de retenue et de dignité que *certains*...

— Julia ?

La jeune fille sursauta violemment et se retourna furieuse, main pressée sur la poitrine, vers son petit-cousin.

— Vous êtes en retard ! lui reprocha-t-elle. Et vous avez bien failli me faire mourir de peur !

Le Mollusque rejeta en arrière d'un air renfrogné les basques de son vêtement vert cendré et s'installa sur le banc à son côté, sans attendre qu'on ne l'y invite.

— J'étais à mon club où je jouais au whist, grogna-t-il. On venait de me distribuer une main excellente quand votre message m'est parvenu ! Vous auriez voulu que j'abandonne la partie, c'est ça ? (Il fit la grimace.) Non, inutile de vous donner la peine de répondre : vous connaissant, il y a effectivement tout lieu de le supposer !

Si Julia ne fut pas offensée par ces mots, c'était que rien de ce que pouvait dire le Mollusque ne l'atteignait plus. Sa tenue, par contre, la blessait plus cruellement que son attitude : sous cet habit vert cendré, en soi tout juste tolérable sur quelqu'un d'autre, il n'avait pas craint d'enfiler un gilet écossais – oui, *écossai*s ! – et des culottes *rouges* ! Même pour Noël, Julia aurait objecté, et ce n'était pas la première fois qu'elle soupçonnait le malheureux d'être atteint de daltonisme.

— Serait-ce trop vous demander que de m'expliquer pour quelle raison – sans nul doute capitale – vous avez jugé nécessaire de m'arracher à mon cercle pour me faire venir, sous le sceau du secret, dans ce coin affreusement reculé, exigea Harold.

— Oui, je veux dire non, dit Julia. Non, ce n'est pas trop, et, oui, je vais vous le dire, bien sûr : je voudrais...

— S'il vous plaît, mon bon monsieur, donnez-moi un penny !

Le Mollusque tourna la tête : la mendiante qui avait approché Julia s'accrochait maintenant à sa manche. Sa réaction fut tout à l'opposé de celle de la jeune fille.

— Cessez de me tripoter le bras, aboya-t-il, et disparaissez immédiatement de ma vue, si vous ne voulez pas que j'appelle un constable et que je vous fasse emprisonner pour vagabondage !

La femme s'éloigna à la hâte en marmonnant de sombres imprécations, et Julia se prit à nouveau à songer combien, décidément, elle haïssait le Mollusque ; puis, se remémorant soudain la dureté avec laquelle son propre fiancé avait tout récemment traité une créature bien plus pitoyable encore, elle se sentit soudain coupable de ce regain d'aversion : comment, en effet, ne pas finir par céder à l'exaspération, lorsqu'on était sans cesse sollicité ?

— Je voudrais savoir le nom de l'homme qui s'est porté acquéreur pour l'Abbaye, demanda-t-elle abruptement, dans l'espoir d'en finir au plus tôt avec cette conversation.

Harold la dévisagea comme si elle avait le cerveau aussi fêlé que la vieille qu'il venait de chasser sans ménagements.

— Vous m'avez fait faire tout ce chemin uniquement pour me demander *ça* ?

— Oui. Comment s'appelle-t-il ?

— Edward quelque chose, dit-il. Edward... Edward Pease. Oui, c'est bien ça, Edward Pease. Oh, ça alors ! Quelle horreur ! Mais qu'est-ce qui se passe, ici ? s'exclama-t-il, indigné, en remarquant le manège du couple sur le banc voisin.

— N'y prêtez donc pas attention, conseilla Julia distraitement.

La réponse de son petit-cousin – ses premiers mots, et non l'exclamation à la vue des deux impudents, qui s'embrassaient à présent à pleine bouche – avait glacé la jeune fille jusqu'au sang ; il lui sembla qu'une main lui perçait la poitrine, lui broyait le cœur. Edward Pease ! L'homme qui voulait acheter sa maison était Edward Pease, celui-là même qui, selon toute vraisemblance, projetait de construire une voie ferrée reliant Killingworth à Stockton ! Un individu pour qui l'Abbaye de Beckwell, que Julia se refusait à vendre, ne représentait qu'un obstacle à son entreprise.

— Pourquoi ce brusque intérêt pour Pease ? demanda Harold.

Ses yeux porcins s'illuminèrent soudain.

— Est-ce à dire que vous avez changé d'avis, que vous acceptez sa proposition ? C'est bien ça, n'est-ce pas ? Vous voulez sans doute que Père le contacte et s'occupe de la transaction. Vous n'avez qu'un mot à dire, Julia, ce sera aussitôt fait ! N'allez pas imaginer que Père vous garde rancune de la façon indigne dont vous m'avez traité, et, du reste, vous pouvez me savoir gré de ne pas lui avoir révélé toute l'étendue de votre inqualifiable comportement !

Julia tâta la carte dissimulée dans sa manche

sans répondre. C'était donc ça ! Nathaniel n'avait pas menti, et, à y bien réfléchir, Harold non plus, lui qui avait affirmé qu'un homme tel que le vicomte de Farnsworth ne saurait véritablement aimer une jeune fille comme Julia : oui, Apollon ne cherchait à l'épouser que dans l'intérêt de son père, qui voulait rendre service à son ami Edward Pease en lui cédant l'Abbaye.

Mais non, c'était tout bonnement inconcevable ! Elle se remémora ses rencontres avec son fiancé, combien elle était heureuse, alors. Non, il ne pouvait l'avoir abusée à ce point : il devait l'aimer, au moins un peu ! Le père le plus autoritaire au monde n'oblige pas son fils à demander en mariage une jeune fille pour laquelle celui-ci n'éprouve rien ! Lord Sebastian l'aimait, il l'aimait bel et bien, et tout ce qu'elle venait d'apprendre au sujet d'Edward Pease et de l'Abbaye de Beckwell n'était que coïncidences fortuites, rien de plus !

Julia se leva sans trop savoir ce qu'elle faisait et commença à s'éloigner en silence. Interrogée, elle aurait sans doute répondu qu'elle retournait chez les Bartholomew, mais le Mollusque dut la saisir par le poignet pour qu'elle en prenne clairement conscience.

— Où croyez-vous aller et quelle mouche vous

pique, aujourd'hui ? Vous me faites quitter mon club, vous m'obligez à venir jusqu'ici, simplement pour me demander le nom de quelqu'un, et ensuite vous me plantez là, sans autre forme de procès ?

— Pardonnez-moi, Harold, je vous prie, dit-elle, hébétée. Je... je crains ne pas me sentir très bien, il... il vaut mieux que je rentre, à présent !

Le Mollusque balançait visiblement entre indignation et inquiétude : il remâchait son ressentiment, mais dut bien reconnaître que la jeune fille, livide, ne semblait pas dans son assiette.

— Permettez-moi dans ce cas de vous raccompagner, proposa-t-il.

C'était bien la dernière chose qu'elle souhaitait – elle le connaissait suffisamment pour deviner qu'il chercherait sans doute à rester dîner – mais elle se sentait trop mal pour objecter et se laissa reconduire chez les Bartholomew... où elle apprit avec consternation que Lady Farelly et sa fille l'avaient toutes deux devancée. Ces dames ne purent dissimuler leur étonnement en voyant que Julia, qu'elles avaient quittée alitée et se plaignant d'une affreuse migraine, avait mis à profit leur absence pour non seulement sortir, mais sortir, qui plus est, en compagnie de Harold Blenkenship, qu'elle ne faisait pourtant pas mystère de détester.

L'atroce révélation avait bouleversé Julia au point de lui donner des palpitations, mais il lui resta tout de même assez de présence d'esprit pour forger sur-le-champ une explication plausible à cet étrange comportement : son mal de tête s'étant estompé, elle s'était brusquement souvenue, prétendit-elle, qu'une affaire pressante l'obligeait à consulter sans attendre son petit-cousin, qui avait bien voulu la rencontrer dans le parc... où, malheureusement, sa migraine était revenue, encore plus forte qu'auparavant.

Lady Honoria et Lady Farelly ne semblèrent pas mettre en doute ses paroles. Elles lui conseillèrent de retourner se coucher, et la jeune fille disparut sans se faire prier, leur abandonnant le Mollusque. Dépassée par des événements devenus rapidement trop compliqués pour elle, Julia disait vrai quand elle affirmait ne pas bien se sentir ; et les préceptes de Mme Vieuxvincent avaient beau déborder d'une indéniable sagesse, ils ne lui apprenaient plus rien, maintenant, sur la façon dont il convenait de se comporter.

Finalement en sécurité dans sa chambre, elle s'abandonna aux soins de Martine qui installa sa maîtresse aussi confortablement que possible avant de se retirer en l'exhortant à se reposer et à ne plus quitter son lit, cette fois.

La jeune fille obéit, non sans soulagement : elle passa la plus grande partie de l'heure suivante étendue, immobile, sous les couvertures, à contempler en aveugle le voilage blanc du dais du grand baldaquin au-dessus de sa tête. Impossible, se répétait-elle sans relâche, impossible ! Il ne peut pas ne pas m'aimer ! Il ne le *peut* tout simplement pas !

Mais si, pourtant, Nathaniel était dans le vrai ? Qu'avait dit au juste Eleanor ? *Peux-tu dire que tu le connais vraiment, que tu sais ce qu'il vaut, en tant qu'être humain ?*

Julia devait bien reconnaître, en toute honnêteté, qu'étant donné ce qu'elle venait d'apprendre, elle ne savait plus comment répondre à cette question. Ou plutôt, si, elle ne le savait que trop : le vicomte était un homme qui n'hésiterait pas plus à déposséder une jeune orpheline de sa fortune qu'à en frapper une autre de sa canne.

Non, non et non ! C'était par trop incroyable ! Pas Lord Sebastian ! Pas lui, pas Apollon !

Toutefois, une chose restait claire, à savoir qu'elle n'épouserait jamais un homme qui ne l'aimait pas. Même s'il s'agissait d'Apollon. Certaines jeunes filles à sa place ne s'embarrasseraient pas de tant de scrupules et persisteraient dans leurs projets de mariage, persuadées qu'elles parviendraient un jour à *obliger* leur mari à les aimer, supposait-elle, mais pouvait-on alors encore parler d'amour ? Ce n'était plus là celui de Roméo et de Juliette, de Tristan et d'Iseult ou de Lochinvar pour sa chère Ellen. Guenièvre, elle, n'avait eu à douter des sentiments ni d'Arthur ni de Lancelot ; non que Julia appréciât vraiment beaucoup cette dernière – qu'elle jugeait un peu trop évaporée – mais elle s'y était identifiée bien plus qu'à la blanche damoiselle d'Astolat, victime infortunée de sa malheureuse passion pour Lancelot. Or voici qu'elle se découvrait soudain bien plus de traits communs avec cette pitoyable créature qu'avec la femme du roi Arthur !

Ridicule ! L'idée à elle seule était déjà proprement absurde ! Si vivre sans attaches, comme un chardon au gré du vent, se résumait à cela... alors, non ! Hors de question ! Elle ne serait ni une fleur fragile, qui, délaissée, se fane et expire humblement, ni une Guenièvre volage. Elle se découvrait soudain des affinités avec Jeanne d'Arc, même si celle-ci n'avait, à sa connaissance, pas vécu assez longtemps pour avoir eu une liaison, malheureusement.

Mais Jeanne d'Arc, elle, avait fait la guerre !

Car c'est bien de cela qu'il s'agit à présent, se dit Julia, la guerre.

Une heure après avoir été d'autorité mise au lit par sa femme de chambre, Julia rejeta donc ses couvertures, sauta sur ses pieds et se prépara pour la bataille. Elle n'osait pas sonner Martine, qui n'aurait pas manqué de l'accabler de reproches en la voyant relevée, et s'habiller seule n'était pas tâche des plus faciles, mais elle parvint tout de même à lacer son corset, à attacher tous ses nœuds et ses agrafes et à se coiffer sans aide ; elle s'inspecta rapidement dans le miroir : le résultat n'avait rien de brillant, mais cela ferait l'affaire.

Julia traversa la chambre d'un pas décidé, ouvrit la porte, sortit de la pièce et descendit l'escalier.

Elle le trouva, comme elle s'y attendait, dans la bibliothèque, à la table de billard. Il leva la tête à son entrée.

— Tiens, vous voilà donc ? Maman m'a appris que vous étiez souffrante, vous sentez-vous mieux, à présent ? Et irez-vous à l'Opéra ce soir ? Dites oui, je vous en prie : je vais avoir besoin qu'on me réveille, pendant les passages ennuyeux, vous savez bien combien tout cela m'assomme !

Julia ne prit même pas la peine de lui répondre.

Debout, les bras apparemment ballants, elle brandissait en imagination sa lance et son épée.

— Lord Sebastian, interrogea-t-elle, il me faut le savoir : m'aimez-vous, oui ou non ?

Apollon, penché au-dessus de la table, préparait un coup délicat. Il s'interrompit pour la toiser à travers ses longs cils dorés.

— Plaît-il ? dit-il d'un ton mi-sérieux, mi-incrédule.

— Je vous demande si vous m'aimez.

Il se redressa, saisit la craie et entreprit de la frotter contre l'extrémité de la queue, sans quitter la jeune fille du regard.

— Je vous épouse, n'est-ce pas ? éluda-t-il en souriant imperceptiblement.

— Ce n'est pas une réponse !

L'ombre de sourire s'évanouit. Apollon reposa la craie.

— Qu'avez-vous donc ? C'est l'idée du mariage qui vous fiche la frousse ? J'espère que vous n'êtes pas venue m'annoncer que vous vous êtes ravisée, ma chérie, ou je passerais pour un sombre crétin, aux yeux des autres types !

— Je vous ai posé une question des plus simples, insista la jeune fille avec humeur, et j'attends toujours votre réponse. M'aimez-vous, Lord Sebastian, oui ou non ?

— Évidemment que je vous aime, déclara-t-il d'un ton offensé, mais qu'est-ce qu'il vous prend ? Je dois avouer que je vous ai connue plus aimable qu'à cet instant précis.

— Pourquoi ?

— Eh bien, vous qui êtes toujours de si belle humeur, vous vous conduisez soudain d'une façon si étrange !

— Non, je veux dire...

Julia contempla le plafond, rassemblant tout son courage.

— ...pourquoi m'aimez-vous ?

— Pourquoi est-ce que je... ?

Apollon partit d'un rire qui sonna un peu forcé aux oreilles de la jeune fille.

— Pourquoi un homme aime-t-il une femme, d'ordinaire ?

— Je n'en sais rien, rétorqua Julia, et, du reste, peu m'importe. Ce que je veux savoir, c'est pourquoi *vous*, vous m'aimez *moi*.

Apollon reposa la queue sur le billard d'un air intrigué.

— Sérieusement, ma chérie, dit-il, vous sentez-vous tout à fait bien ? Je vous trouve...

Mais Julia n'entendait pas en démordre.

— Pour quelle raison, milord, m'aimez-vous ? persista-t-elle.

Il passa la main avec embarras dans son épaisse chevelure blonde et lui lança un regard oblique ; les derniers rayons du soleil couchant traversaient le vitrail de la fenêtre derrière lui, embrasant la pièce et projetant sur le tapis, à ses pieds, une myriade de taches colorées où dominait – elle ne put s'empêcher de le remarquer – un rouge sanglant.

— Eh bien, dit-il, probablement parce que – la plupart du temps, quand vous ne vous conduisez pas comme vous le faites à présent, s'entend –, je vous trouve... amusante.

— Amusante, répéta Julia. Vous dites que vous m'aimez parce que vous me trouvez...amusante ?

— Oui, c'est bien ça !

Maintenant qu'il était lancé, Apollon semblait presque enthousiaste.

— Je veux dire, vous riez beaucoup, d'habitude.

— Parce que je suis amusante, reprit Julia.

— Exactement ! Et vous n'avez pas froid aux yeux. Prenez le M'attrape-qui-peut, par exemple : je ne connais pas beaucoup de jeunes filles qui accepteraient de faire un tour dessus, mais vous, vous n'avez pas hésité une seule seconde. Je dois dire que ça aussi, ça m'a plu !

Et il sourit avec ce charme enjôleur qui, la veille encore, aurait fait battre le cœur de Julia à coups redoublés.

Mais qui la laissa, cette fois, de marbre.

— Vous m'aimez, dit-elle d'une voix blanche, et vous voulez m'épouser, et vivre avec moi pour toujours, jusqu'à la mort, parce que je suis amusante et que je n'ai pas eu peur de monter dans le M'attrape-qui-peut.

Apollon médita la chose un instant.

— Et aussi parce que vous êtes jolie ? demanda-t-il enfin, comme s'il hésitait sur la réponse à donner lors d'un examen.

Julia ne releva même pas.

— Laissez-moi vous apprendre, déclara-t-elle, que je considère pour ma part l'amour comme un mystère sacré, qui transcende tout et a le pouvoir de révéler le meilleur comme le pire de la nature humaine. Durant les siècles passés, il a poussé les hommes à risquer leur vie pour accomplir des exploits extraordinaires, et parfois aussi à commettre les crimes les plus affreux. Vous admettrez donc, Lord Sebastian, qu'étant donné ce que vous venez de dire, il m'est difficile de croire que le sentiment que vous me portez s'apparente à de l'amour.

La bouche parfaite d'Apollon en resta béante

de stupeur. Il n'aurait pas fait une autre tête si, au dîner, le valet de pied avait subrepticement substitué à son assiette de potage une couvée de serpents sibilants.

— Êtes-vous prêt à mourir pour moi, milord ? interrogea Julia. Donneriez-vous votre vie pour sauver la mienne ? Non, je ne le crois pas : un homme se sacrifie rarement pour une femme qu'il trouve *amusante*. L'homme que j'aimerai, moi – et si je parle au futur, c'est que je ne peux plus croire, à présent, que ce que nous avons vécu ait été de l'amour... en tout cas, pas un véritable amour, un amour éternel, comme celui de Desdémone pour Othello, ou de Cléopâtre pour Marc Antoine – cet homme, je l'aimerai pour toujours, non pour son apparence physique ou son tempérament enjoué, mais bien parce qu'une vision commune de l'existence et de ses vicissitudes nous aura rapprochés et liés indéfectiblement l'un à l'autre ; la moindre séparation nous deviendra alors un supplice déchirant, et je souffrirai volontiers mille morts pour lui en épargner une seule ! Voilà, Lord Sebastian, ce qu'est pour moi l'amour, conclut-elle, et cela n'a malheureusement rien de comparable avec ce qu'il y a pu y avoir entre nous. Vous comprendrez sans peine que je me vois, à mon grand regret, dans l'impossibilité de vous épouser !

Sur ce, la jeune fille pivota sur les talons et quitta abruptement la pièce.

— Julia ! Une minute, voyons, Julia !

Elle poursuivit son chemin sans l'entendre, négligeant même de saluer Lady Farelly, qu'elle croisa dans le couloir.

— Miss Sparks ! Mais pourquoi n'êtes-vous pas restée au lit ?

Elle atteignit du même pas la grande porte d'entrée et l'ouvrit à toute volée, au nez du majordome effaré. Elle sortit de chez les Bartholomew, marcha droit jusqu'à la maison de son amie Eleanor, à quelques rues de là, et sonna.

La bonne en charlotte blanche fut extrêmement surprise de la voir surgir à une heure si inhabituelle : on avait déjà pris le thé, et il n'était pas encore temps de dîner. À la jeune fille, qui demandait si la maîtresse de maison était chez elle, elle répondit qu'elle allait se renseigner.

Lady Sheridan, par bonheur, n'était pas loin. Elle accourut en reconnaissant la voix de Julia ; congédiant aussitôt du geste la domestique, elle contempla la meilleure amie de sa fille avec une stupéfaction non dissimulée.

— Mon enfant ! Vous, seule, courant les rues

à pareille heure ? Où est donc votre voiture ? Ne me dites pas que vous avez fait tout le chemin à pied, sans chaperon ! Que se passe-t-il, ma chérie ?

Julia se précipita dans ses bras et éclata en sanglots.

Deuxième Partie

Rien au monde – ou, du moins, dans le monde tel qu'il existait en 1810 – ne nuisait autant à la réputation d'une femme qu'un mariage avorté, sauf peut-être des fiançailles rompues. Mme Vieuxvincent avait mis en garde ses élèves, les exhortant à réfléchir à deux fois, et très sérieusement, avant de revenir sur un engagement, car à l'opprobre s'ajoutait le risque de procès : un amoureux éconduit attaquait parfois bassement en justice celle qui l'avait délaissé, pour violation de promesse de mariage.

Plutôt que de les instruire des dangers inhérents aux ruptures de fiançailles, songeait Julia, Madame aurait bien mieux fait de commencer par leur apprendre comment ne pas s'y engager imprudemment. La jeune fille prenait conscience qu'elle aurait sans doute pu éviter cet écueil en cherchant à se représenter par avance toute une existence aux côtés d'Apollon ; mais il lui avait demandé sa main et, éblouie comme une enfant, elle n'avait vu que l'hermine qu'elle revêtirait une fois vicomtesse, et n'avait songé qu'à effleurer du doigt, comme son titre d'épouse lui en donnerait légitimement le droit, les longs cils dorés de Lord Sebastian.

Elle avait négligé, dans sa précipitation, de s'attarder sur leur manque de goûts communs. Elle ne s'était jamais demandé de quoi ils parleraient, le soir au dîner ; à vrai dire, Apollon se montrait assez peu loquace à table, sauf pour demander qu'on lui passe le beurre ou, à l'occasion, se lancer dans une interminable histoire, passablement ennuyeuse, à propos d'un cheval sur lequel il avait – ou n'avait pas, c'était selon – parié, et il fallait admettre que, s'il n'en était pas alors moins agréable à regarder, ses talents pour la conversation laissaient quelque peu à désirer : comme il n'ouvrait que rarement un journal, et jamais ailleurs qu'à la page des sports, il n'était jamais au courant de quoi que ce soit ; en outre, il ne lisait ni romans ni poèmes.

Comment n'y avait-elle pas songé plus tôt, avant d'accepter de l'épouser ? Elle n'y comprenait plus rien, sinon que ce mariage était maintenant devenu impossible. Bouleversée, elle était venue se réfugier chez les Sheridan, qui avaient toujours été si bons pour elle. Elle n'entendait plus en bouger.

Eleanor et sa mère s'empressèrent de la réconforter de leur mieux et de la cajoler jusqu'à lui arracher le récit de ses infortunes. La jeune fille manda un valet dire à Martine de faire ses malles et de la rejoindre immédiatement. Lady Sheridan l'aida ensuite à rédiger une lettre à l'adresse de Lady Farelly, dans laquelle elle la remerciait pour son hospitalité et lui expliquait que de nouvelles circonstances lui interdisaient malheureusement à présent d'épouser son fils ; Julia y joignit la bague de Lord Sebastian : leurs fiançailles étaient dès lors formellement et irrévocablement rompues.

Du moins l'espérait-elle. Elle n'envisageait pas de gaieté de cœur la possibilité de se voir attaquée devant les tribunaux, mais Lord Sebastian, après tout, n'avait que peu à y gagner : son ex-fiancée ne disposait pour ainsi dire d'aucun revenu, et s'en prendre à une orpheline désargentée, même fille de baron, ne manquerait pas de lui attirer les foudres de la presse.

Julia s'attendait pourtant à des représailles, ce

en quoi elle ne se trompait pas : cela lui apparut clairement dès le lendemain, alors qu'encore couchée, après une longue nuit blanche passée à sangloter, la tête brûlante comme prise dans un étau, elle se demandait si le sort, en lui infligeant ce matin une migraine bien réelle, ne voulait pas la punir de son mensonge de la veille.

Eleanor, qui pensait elle aussi qu'un homme qui déclare aimer une femme parce qu'il la trouve « amusante » n'est pas digne de ce nom, avait été cruellement déçue par Apollon et avait pris fait et cause pour son amie. Elle entra dans sa chambre et lui annonça que Lord Sebastian était à la porte, qu'il exigeait de voir Julia, et que, sourd à toute objection, il répétait que rien ni personne ne sauraient l'en empêcher... bien que ce fût là précisément ce à quoi s'employaient Nathaniel et deux des valets en lui barrant l'accès à l'escalier menant à la chambre d'amis où logeait la jeune fille.

— Il semble vraiment perturbé, pour ne pas dire complètement dément, dit-elle. Sa cravate n'a même pas été repassée ce matin !

— Il panique sans doute à l'idée que son père pourrait le déshériter, répondit amèrement Julia, le visage enfoui dans son oreiller.

— Mais pourquoi veux-tu qu'il fasse une chose pareille ? s'étonna Eleanor.

Pas question pour Julia de lui répondre... elle ne lui parlerait pas d'Edward Pease, ni de Stockton & Darlington, qui projetaient de développer leur réseau de chemin de fer en faisant passer des rails au beau milieu de l'Abbaye. Que le vicomte ait pu demander sa main sans l'aimer était déjà bien assez affreux, elle sentait qu'elle ne survivrait pas à l'humiliation si l'on apprenait *pour quelle raison* il avait cherché à l'épouser. Convaincue que Lord Farelly, complice, d'une façon ou d'une autre, de Pease, était partie prenante dans la conspiration pour s'approprier l'Abbaye, la jeune fille ne songeait plus à mettre en doute le jugement du frère de son amie ; mais l'affaire était réglée, et Julia était en sécurité à présent. Rien ne l'obligeait à mentionner cet aspect de la situation.

— Mmm... je ne sais pas. (Julia se mordilla la lèvre.) Je me fais sans doute des idées, c'est stupide.

— Tout de même, ne ferais-tu pas mieux d'aller le voir ? lui conseilla son amie d'un ton préoccupé. Il ne me paraît pas avoir vraiment compris que tu avais rompu !

— Je lui ai renvoyé la bague qu'il m'avait donnée ! Peut-on être plus explicite ?

Mais même ce geste ne suffisait apparemment pas à convaincre Lord Sebastian que tout était bel et bien fini entre eux. Les jours passaient, la jeune fille commençait à se remettre tout doucement de ses épreuves, mais le vicomte ne lâchait toujours pas prise et surgissait au bas mot trois fois par jour sur le seuil des Sheridan, demandant avec insistance à parler à Julia – et ce, bien qu'on le renvoyât à chaque fois sans jamais le lui permettre. Non content de ce siège en règle du salon, il s'obstinait en outre à lui faire parvenir bouquet sur bouquet de roses, comme s'il espérait que le parfum entêtant des fleurs saurait la subjuguer et l'amener à revenir sur sa décision.

— Tu le rencontreras forcément un jour, tu sais ! fit remarquer Eleanor, le soir où son amie se sentit assez d'attaque pour quitter sa chambre et descendre dîner avec les autres. Tu ne peux pas l'éviter pendant tout le restant de la saison, vous finirez bien par vous croiser, ne serait-ce qu'à Almack.

— Je ne l'ignore pas, malheureusement, répondit Julia. Ouille ! Doucement, voyons ! cria-t-elle à sa femme de chambre qui martyrisait férocement ses épaisses boucles brunes.

Martine ne comprenait pas que sa jeune maîtresse puisse renoncer à son mariage et elle avait été cruellement déçue d'apprendre que celle-ci ne deviendrait pas, en fin de compte, vicomtesse : elle se vengeait sur sa coiffure.

— Tu devrais au moins descendre lui dire que tu n'as pas changé d'avis ! Peut-être cesserait-il de t'importuner. Sauf, évidemment, si tu n'en es pas encore parfaitement sûre toi-même et si tu crains, devant lui, de sentir ta passion renaître de ses cendres.

— Je t'assure, Eleanor – aïe ! Tu me fais mal, Martine, *arrête* de tirer comme ça ! –, je t'assure que mon amour pour Lord Sebastian est bien mort et enterré. Simplement, je préfère ne pas le voir – ni lui, ni aucun autre Bartholomew – dans l'immédiat. Me donnes-tu tort ?

— Non, certainement pas, répondit loyalement son amie, qui sortit pour informer le vicomte que Julia ne saurait lui accorder l'entretien qu'il sollicitait.

Arriva alors quelqu'un que la jeune fille ne pouvait décemment pas refuser de recevoir.

— Oh non, par pitié, pas lui, pas le Rouspéteur ! gémit-elle en apprenant le nom de son nouveau visiteur. Que me veut-il encore, celui-là ?

Elle croyait cependant le deviner et avait préparé sa défense avant même d'entrer dans le petit salon où son tuteur l'attendait – le nez enfoui

dans son mouchoir, car les roses du vicomte le faisaient éternuer.

— N'ayez crainte, milord, déclara-t-elle tout
de go d'un ton dégagé. Je compte vous rembour-
ser jusqu'au dernier penny la somme que vous
avez bien voulu m'allouer pour l'achat de mon
trousseau. Je n'en ai dépensé qu'une toute petite
partie, pour des fleurs d'oranger en soie à coudre
sur mes escarpins, et je peux donc vous restituer
le reste immédiatement...

— Je ne suis pas venu vous réclamer cet
argent, petite sotte, maugréa-t-il de derrière son
mouchoir, mais pour vous demander si vous avez
complètement perdu le sens commun !

Julia le regarda, interloquée. Si elle s'attendait
à ce que le Rouspéteur – on ne peut plus vieux
jeu et traditionaliste – ronchonne, elle n'avait pas
imaginé qu'il se montrerait plus affecté par son
brusque refus d'épouser le vicomte que par l'argent dépensé en vain.

— Vous me voyez sincèrement navrée de vous
causer une telle déception, milord, rétorqua-t-elle
d'un ton acide. J'ose cependant espérer que vous
souhaiteriez me voir mariée à un homme qui
m'aime, au moins. Or il se trouve que tel n'est pas
le cas de Lord Sebastian !

— Qui vous aime ! reprit-il d'un ton dégoûté.

Vous, les gamines, vous n'avez que ce mot-là à la bouche ! L'amour ! Je suppose que c'est pour ça que vous avez refusé mon garçon, parce que, selon vous, il ne vous aime pas suffisamment ! Voilà bien où nous mène l'éducation des femmes ! Si ce n'est pas ridicule de vouloir à tout prix les instruire ! On vous bourre le mou de ces poètes – ces Byron, Wordsworth ou Walter Scott –, et le crâne d'insanités sur la chevalerie et ce satané amour ! Eh bien, désolé de vous décevoir, mais il vous faut apprendre que chevaliers et mariages « d'amour » ne sont que folles chimères. Dans la vie, la vraie, on se marie avec circonspection... or il aurait été prudent de votre part de prendre pour époux le vicomte de Farnsworth.

Julia, piquée au vif, fit un gros effort pour se maîtriser.

— Pour mes finances, sans doute, milord, mais fort peu pour mon cœur !

— Votre cœur, dites-vous ? Songez donc plutôt à votre estomac, jeune étourdie ! répliqua-t-il en soufflant bruyamment dans l'étoffe. Vous êtes-vous demandé comment vous alliez subsister, si vous persistez à éconduire ainsi vos prétendants ? Cent livres par an ne mènent pas loin, comme vous le savez, et vous ne pourrez pas compter éternellement, pour vous nourrir et vous loger, sur le bon vouloir des familles de vos camarades de pension !

Julia fronça les sourcils. Quel individu infect, vraiment ! En quoi avait-elle mérité de se retrouver affligée d'un parent aussi odieux ?

— Il me reste toujours la ressource, répondit-elle, de retourner vivre à l'Abbaye, puisque je ne l'ai pas vendue, n'est-ce pas, milord ? Vous admettrez donc que j'ai, en l'occurrence, fait preuve de cette prudence que vous me recommandiez à l'instant !

Le Rouspéteur s'était retranché dans le coin du salon le plus éloigné des bouquets, où il parvenait enfin à respirer sans éternuer. Il extirpa son nez du mouchoir et foudroya la jeune fille du regard.

— Non, je ne l'admettrai pas, pas le moins du monde ! énonça-t-il d'un ton courroucé. Douze mille livres vous auraient permis de vivre confortablement, sans souci de l'avenir, et vous le permettraient encore, du reste, car l'offre tient toujours : il vous suffit d'un mot pour que...

Julia pour le coup suffoqua, sur le point d'éclater, non de rire mais de colère, d'une sombre et violente fureur.

— Céder l'Abbaye ! s'exclama-t-elle, la voix dérapant dangereusement dans les aigus. Vendre ma maison, rien que ça ! Et vous n'avez, bien sûr, aucune idée de la raison pour laquelle votre cher M. Pease veut l'acheter, n'est-ce pas ?

Le Rouspéteur sembla assez déconcerté : il savait sa pupille soupe-au-lait et la tête bien près du bonnet – n'avait-il pas un jour assisté à une véritable crise de rage, lorsqu'il avait suggéré qu'il serait, à long terme, moins onéreux de faire abattre le poney devenu vieux et infirme de la jeune fille, plutôt que de continuer à le nourrir d'avoine concassée – mais il y avait longtemps qu'il ne l'avait pas vue monter ainsi sur ses grands chevaux.

— Aucune, répliqua-t-il, mais je ne vois pas en quoi ce que cet homme peut vouloir faire de terres légitimement acquises vous concernerait !

— Il compte y faire passer des trains ! cria Julia.

Oui, elle cria, malgré toutes les recommandations de Madame, pour qui une dame ne devait jamais élever la voix, que ce soit dans une maison ou ailleurs.

— Voilà ce que ce M. Pease veut faire à mon Abbaye ! La couper en deux avec une de ses affreuses voies ferrées !

Pétrifié, son mouchoir oublié à la main, Lord Renshaw la dévisageait avec stupéfaction.

— Croyez-vous que cela plaira aux fermiers

des environs ? hurla-t-elle. D'énormes wagons pleins de sale charbon qui traversent à grand fracas leurs pâturages ! Les moutons aussi vont adorer, j'en suis sûre !

Le Rouspéteur revenait peu à peu de son étonnement ; il examina la jeune fille avec défiance.

— Voyons, voyons, mon enfant ! nasilla-t-il d'une voix qu'il cherchait à rendre apaisante mais que les roses avaient chargée de mucosités. Je ne sais pas d'où vous pouvez tenir cela, mais je vous assure qu'il n'en est rien, il doit y avoir là quelque méprise...

— Il n'y a aucune méprise du tout ! fulmina Julia. Bien au contraire !

Elle songea à la carte qu'elle emportait partout – elle la sortait de temps à autre pour la consulter, quand elle se sentait faiblir dans sa résolution : il n'est pas toujours aisé de renoncer à un Apollon, même décevant – et elle se demanda s'il convenait de la montrer à son tuteur. Puis elle se ravisa en pensant aux questions gênantes qu'il ne manquerait pas de lui poser sur sa provenance. C'était une chose que de faire fi des recommandations de Madame quant aux cris et piaillements, mais une tout autre d'être accusée de vol et d'indiscrétion, et la jeune fille ne se sentait guère la patience d'endurer les remontrances de son tuteur. Elle laissa donc le document en place, dans sa manche.

— Je vous garantis que je n'invente rien, insista-t-elle pourtant. Alors vous voyez bien que je ne saurais accepter, n'est-ce pas, milord ? L'Abbaye de Beckwell restera debout jusqu'à mon dernier souffle !

Julia, l'espace d'un instant, crut qu'il la comprenait et qu'il était tout aussi horrifié qu'elle par l'idée de rails métalliques écrasant impitoyablement les boutons d'or des prairies de Beckwell ; qu'il ne souffrirait pas, lui non plus, l'idée d'une locomotive plus monstrueuse encore que le M'attrape-qui-peut traversant, dans un grondement fracassant, la salle à manger de l'Abbaye, avec ses fenêtres à petits carreaux en losange sertis de plomb, ses grosses poutres de chêne et son sol dallé ; qu'il ne pouvait imaginer sans consternation les fumées noires des mines de Killingworth souiller le bleu limpide du ciel de la maison natale de Julia, du plus bel endroit sur terre ; qu'il saisissait enfin toute l'étendue de la responsabilité morale incombant à la jeune fille, et du devoir qui lui ordonnait de préserver, coûte que coûte, l'héritage paternel.

Lord Renshaw fourra à nouveau son nez

pointu dans les profondeurs de son mouchoir et s'ébroua vigoureusement.

— Vous êtes, Julia Sparks, articula-t-il à travers le tissu d'un blanc douteux, la jeune personne la plus entêtée que j'aie eu l'infortune de rencontrer jusqu'à présent ! Nul doute que votre attachement absurde pour cette crasseuse masure croulante que vous appelez votre maison signera votre perte ! Mais libre à vous, après tout, puisque vous y tenez, de causer votre propre ruine ! Je m'en voudrais de vous mettre des bâtons dans les roues !

La jeune fille, suffoquée d'indignation par les mots « crasseuse masure croulante », n'eut même pas le temps de répondre qu'il reprenait déjà.

— Franchement, Julia, je m'en lave les mains ! Vous avez toujours été abominablement gâtée pour une orpheline, et je regrette de devoir constater que la coûteuse éducation pour laquelle vous avez jeté l'argent de votre père par les fenêtres ne vous a pas corrigée le moins du monde de vos défauts.

Julia le fixait, figée de stupeur, bouche entrouverte. Madame, qui soutenait qu'aucun spectacle au monde n'était plus repoussant qu'une cavité buccale béante, en aurait été horrifiée.

— C'est à se demander ce qui a traversé le cerveau fêlé de votre pauvre père et à quoi il songeait, quand il a choisi de vous léguer à vous plutôt qu'à moi sa fortune, poursuivit-il en soufflant de plus belle.

Ce fut la goutte qui fit déborder le vase. Personne – personne – n'insultait impunément le père de Julia !

— Je vais vous dire, moi, ce à quoi il pensait ! Il se disait qu'il est hors de question de confier ce qu'on a de plus précieux à un individu totalement dépourvu tant de fibre morale que de sensibilité !

Si elle avait espéré le piquer au vif, elle en fut pour ses frais : Lord Renshaw leva les yeux au ciel et remit posément son chapeau.

— Sachez, ignorante jeune péronnelle, déclara-t-il d'une voix assourdie par la morve et le fiel, que dorénavant et quoi qu'il advienne, vous ne pourrez vous en prendre qu'à vous-même !

Et il quitta la pièce.

Julia se sentit brusquement très lasse. Ni ses jambes – ni, plus inquiétant encore, sa volonté – ne semblaient plus à même de la soutenir et elle s'affala sur le sofa, dans les gerbes de roses.

— Julia ?

Saisie, la jeune fille roulée en boule sur le divan du petit salon des Sheridan tressaillit et leva les yeux.

— N'ayez pas peur, ce n'est que moi, la rassura Nathaniel en s'asseyant auprès d'elle. J'ai entendu crier. Est-ce que tout va bien ?

Julia hocha la tête en silence. Toujours sous le coup de son altercation avec son tuteur, elle n'osait se risquer à parler et tentait, assez vainement, de retrouver son sang-froid : le coin de ses yeux la picotait, un fourmillement courait à la racine de son nez ; elle sentait monter les larmes, et s'étonnait qu'il puisse lui en rester encore, après toutes celles dont elle avait arrosé la perte de Lord Sebastian. Elles devaient être – contrairement à l'argent, ou à la patience de son tuteur à son égard – inépuisables.

La jeune fille ne voulait pas que Nathaniel Sheridan la voie pleurer. Pourquoi, alors qu'elle se débrouillait très bien avec les autres jeunes gens, ne parvenait-elle jamais devant lui à rester sereine et à conserver sa dignité, comme le recommandait Madame ? Pourquoi ?

Elle tamponna furtivement le coin de ses yeux de sa manchette en dentelle. Un mouchoir blanc surgit aussitôt dans son champ de vision.

— N'hésitez pas, il est propre, dit-il quand elle releva la tête.

Elle lui faisait confiance sur ce point. Malgré sa passion pour les mathématiques et les sciences, Nathaniel n'avait rien du savant brouillon et désordonné. Sa mise était invariablement soignée, son apparence agréable, et qu'un individu aussi exaspérant se montre toujours si élégant, si séduisant même, ne faisait que redoubler l'irritation de Julia : il en devenait très difficile à détester ou à affubler d'un sobriquet, comme elle le faisait pour beaucoup ; « le Professeur » ne faisait pas l'affaire, « l'Abaque » non plus, et, dans son for intérieur, il était resté Nathaniel, tout simplement.

— Merci.

Elle prit le mouchoir qu'on lui tendait... non

sans se demander ce qui pouvait bien rendre Nathaniel aussi attentionné ; cela ne lui ressemblait pas du tout !

Mais il la traitait, ces derniers temps, avec une gentillesse inaccoutumée : ne l'avait-il pas délivrée de la pénible obligation de danser le Sir Roger avec le Mollusque ? Ne l'avait-il pas mise en garde contre Edward Pease (et comment avait-il su, d'ailleurs ?) ? Il semblait maintenant à Julia que, depuis qu'elle était venue vivre chez les Sheridan et bien qu'elle ait gardé la plupart du temps la chambre, et qu'elle ne l'ait donc que rarement vu, Nathaniel n'avait cessé de lui rendre de menus services, par exemple en interdisant à Lord Sebastian l'accès de toute partie de la maison où la jeune fille aurait pu se trouver. Eleanor affirmait même en plaisantant que son frère se montrait tout aussi protecteur vis-à-vis de Julia que de sa propre sœur, et son amie en avait chaud au cœur.

Ce dont, à ce moment précis, elle avait bien besoin.

— Ai-je raison de supposer, demanda-t-il quand il estima que la jeune fille avait recouvré l'usage de la parole, que Lord Renshaw ne vous porte pas dans son cœur, aujourd'hui ?

— Comme vous dites, répondit-elle avec un

petit rire triste. Non seulement je refuse d'épouser ceux à qui il voudrait me voir mariée, mais je ne lui obéis pas non plus en ce qui concerne la façon de gérer ma fortune. Il dit qu'il se lave les mains de ce qui peut m'arriver, désormais !

— Ce n'est sans doute pas une si mauvaise chose, à tout prendre, déclara Nathaniel. Personne, à mon avis, ne serait ravi de le voir fourrer son nez dans ses affaires, et, si je ne m'abuse, il ne s'est pas jusqu'à présent montré particulièrement soucieux de vos intérêts.

— Non, heureusement, dit Julia. J'espère qu'il tiendra parole et qu'il ne s'occupera plus de moi. Vu la chance que j'ai ces derniers temps, j'ose à peine y croire !

Nathaniel gardait les yeux fixés sur le vase de roses jaunes posé sur le guéridon près de lui.

— Je ne dirais pas cela. Je trouve au contraire que vous avez une chance extraordinaire récemment.

Julia partit d'un grand rire incrédule.

— Une chance extraordinaire, moi ? s'écria-t-elle. Vous êtes fou ! Moi qui me suis retrouvée fiancée à un horrible individu, qui ne voulait m'épouser que pour que son père puisse faire passer une voie de chemin de fer dans mon salon ! (Inutile de feindre devant Nathaniel, puisqu'il savait déjà tout !) Et vous arrivez comme une fleur, pour m'annoncer que j'ai eu « une chance extraordinaire » récemment ?

Nathaniel prit une rose à peine ouverte dans le vase, en détacha soigneusement un bouton et s'absorba dans un minutieux examen.

— D'après moi, oui, répondit-il sans quitter la fleur du regard. Après tout, vous vous en êtes rendu compte à temps, n'est-ce pas ?

— Grâce à vous, admit-elle avec un zeste d'aigreur dans la voix.

Il leva soudain la tête. Ses yeux noisette brillaient d'un éclat inhabituel.

— Auriez-vous préféré n'avoir appris qu'*après* votre mariage que l'homme que vous épousiez était un tricheur doublé d'une fripouille ? interrogea-t-il en haussant un sourcil.

Était-ce la question ou le regard de Nathaniel ? Julia se sentit rougir.

— Euh... non, bien sûr, dit-elle, mal à l'aise. C'est juste que...

— ...que vous auriez de beaucoup préféré qu'il commence par s'abstenir d'essayer de vous gruger, poursuivit-il à sa place. Oui, je suis entièrement d'accord avec vous sur ce point ! Vous devez pourtant admettre, Julia, qu'en ce qui concerne la chance et si vous songez à tous ceux qui vous aiment et vous entourent, vous êtes loin d'en être dépourvue.

Et il lui tendit le bouton de rose.

C'était la première fois que Nathaniel Sheridan lui offrait quoi que ce soit – il ne la gratifiait d'ordinaire que d'impitoyables taquineries –, et elle prit la fleur sans oser le regarder. Était-ce bien là le Nat qui se plaisait à attacher à son insu ses tresses au dossier de la chaise sur laquelle elle était assise ? Celui qui ne pouvait s'empêcher de la reprendre sur sa prononciation du français ? Celui qui pouffait en l'entendant déclamer *Lochinvar* (qui n'avait pourtant rien de comique !) ? Comme il était étrange de penser que ce Nat-là et celui qui venait à l'instant de lui proposer successivement son mouchoir et une rose ne formaient qu'une seule et même personne !

Qu'il ait ou non remarqué sa gêne, Nathaniel s'abstint de tout commentaire.

— Ou bien dois-je en conclure que votre cœur est brisé ? poursuivit-il d'un ton dégagé.

Les yeux obstinément fixés sur la fleur, Julia détaillait une à une les fines nervures des feuilles, admirait la texture soyeuse et l'or profond de chaque pétale.

— Mais cela va de soi ! Le vôtre ne le serait-il pas, à ma place ? Qu'on cherche à mutiler, à défigurer à coups d'affreux rails métalliques les belles prairies de mon Abbaye, sans parler du jardin d'herbes aromatiques de Mamie ou de ma petite chambre d'enfant ! Comme il faut être scélérat pour ne serait-ce que concevoir une idée pareille ! Le Rouspéteur n'a-t-il jamais entendu dire que :

La nature est bonne pour toujours
Au cœur qui lui voua son culte et ses amours[1].

— Toujours ce Wordsworth, dit Nathaniel en fronçant les sourcils.

Julia eut l'air offensé.

— *L'Abbaye de Tintern*, précisa-t-elle, sur la défensive.

— Parfaitement approprié, étant donné les circonstances, seulement je ne parlais pas du Rouspéteur mais de Sebastian Bartholomew.

Julia baissa à nouveau le nez sur sa fleur.

Elle se demandait si Apollon lui avait effectivement brisé le cœur. Elle n'en était plus très sûre. Que ressentait-on exactement, dans ce cas ? Si elle pouvait affirmer sans risque que Lord Sebastian avait réduit à néant nombre de ses espoirs et de ses rêves, elle avait découvert ces

---

1. William Wordsworth, *Choix de poésies*. Traduction citée.

derniers jours, alors qu'elle se remettait peu à peu de sa déconvenue, qu'elle restait capable de réagir et de s'en forger de nouveaux. Son cœur – contrairement à sa fierté, durement touchée – serait-il sorti indemne de cette épreuve ? Ou bien fallait-il en déduire qu'elle n'avait pas encore pris pleinement conscience de toute l'étendue de son infortune ?

— Je ne sais pas, dit-elle pensivement. Je ne crois pas que mon cœur soit irrémédiablement brisé : après tout, c'est un organe que l'on considère d'ordinaire très résistant, et je ne vois pas pourquoi le mien ferait exception. Mais il est sans doute trop tôt pour en juger, ajouta-t-elle en se souvenant brusquement de la blanche damoiselle d'Astolat, qui avait succombé à son amour.

Elle jeta un coup d'œil furtif à Nathaniel – plongé, cette fois, dans la contemplation d'un autre vase de roses sur la crédence – et vit le jeune homme hocher la tête ; la mèche de cheveux sombres glissa une fois de plus sur son front, lui recouvrant les yeux. Il n'essaya pas de la repousser. Il y était sans doute si habitué qu'il ne la remarquait même plus.

Elle comprit alors que, pour la première fois de sa vie, elle regardait *vraiment* Nathaniel Sheridan : jamais auparavant les plats et méplats de son visage ne lui étaient apparus si finement ciselés, jamais elle n'avait réalisé que sa beauté ne le cédait en rien à celle de celui qu'elle avait surnommé Apollon. Aurait-elle été moins aveugle, se demanda-t-elle, si elle ne l'avait pas connu si bien et depuis si longtemps ? Si elle l'avait rencontré à Almack, par exemple, et non à ce récital où se produisait sa sœur, et auquel ses parents l'avaient contraint à assister ? L'aurait-elle, dans ce cas, considéré comme un cavalier remarquablement séduisant ?

À son grand étonnement, elle ne pouvait répondre que par l'affirmative : le frère d'Eleanor, s'il se montrait invariablement taquin et toujours prêt à la critiquer, n'en restait pas moins un jeune homme de très belle allure, extrêmement soigné, et aux épaules tout aussi carrées, aux jambes tout aussi longues que celles de Lord Sebastian ; et, si ses yeux n'évoquaient pas un ciel bleu d'été, leur brun mordoré rappelait parfois à Julia les teintes changeantes de l'eau de la petite rivière qui longeait les terres de l'Abbaye de Beckwell et qui, en automne, prenait elle aussi au soleil des reflets verts changeants.

Mais les yeux qu'elle admirait maintenant tout à loisir cillèrent brusquement, et la jeune fille rougit à nouveau : Nathaniel l'avait surprise à le dévisager et la fixait à son tour.

Seigneur ! pensa-t-elle, brusquement inquiète, en détournant le regard. Elle avait senti, à l'instant où leurs regards se croisaient, quelque chose passer entre eux ; elle n'aurait su préciser quoi exactement, mais en resta tout interdite, pleine de confusion... elle qui n'était pourtant d'ordinaire pas timide !

— Au fait, comment avez-vous su ? demanda-t-elle, autant par curiosité que pour relancer une conversation dont les longues pauses, durant lesquelles son esprit tendait à s'égarer dans des pensées troublantes, commençaient à lui paraître dangereuses.

— Comment ai-je su quoi ? interrogea-t-il doucement.

— Pour Edward Pease, dit Julia, et ses liens avec Lord Farelly.

— Oh, ça ? dit-il d'une voix soudain éteinte, comme s'il s'était attendu à tout autre chose. J'ai lu dans un journal un article sur le Blutcher. Je n'ignorais pas que Killingworth se trouve près de l'Abbaye, ni que l'on projetait de relier ses mines de charbon aux villes avoisinantes les plus importantes, et je dois dire que l'offre que l'on vous a faite m'a paru plutôt... surprenante. Ne le prenez pas en mauvaise part, mais le Northumberland n'est pas exactement l'endroit de ce pays où les gens rêvent de s'installer, sauf peut-être pour y trouver du travail, et il me semblait donc assez improbable que l'on veuille vos terres pour y vivre ou les cultiver. Le journal mentionnait également que Pease était devenu propriétaire de beaucoup de terrains dans la région. Je ne me fondais que sur des hypothèses, mais que je jugeais relativement plausibles.

— Vous avez toujours fait preuve d'un remarquable esprit de déduction, admit-elle d'assez mauvaise grâce, ce pour quoi je vous félicite, monsieur Sheridan.

Nathaniel se tourna alors vers elle et posa une main sur la sienne, qui tenait toujours la rose sur ses genoux. Prise de court, la jeune fille, stupéfaite, le regarda sans mot dire, s'attendant vaguement à une niche ou un pinçon accompagné d'une boutade irrévérencieuse.

Mais aucune moquerie ne perçait dans le ton de Nathaniel lorsqu'il parla... et il ne relâcha ni ne molesta ses doigts.

— J'espère, Julia, dit-il avec sérieux, que vous ne croyez pas que je *souhaitais* avoir raison, en ce qui concerne Bartholomew, je veux dire, et que vous savez que j'aurais tout donné – *absolu-*

ment tout – pour me tromper, si cela avait pu vous épargner le moindre chagrin !

C'était là, et de très loin, la chose la plus chevaleresque, la plus... affectueuse qu'il lui ait jamais dite. Julia en resta muette de surprise, à le contempler avec des yeux ronds : il la fixait intensément, et ce regard lui sembla soudain... autre, comme s'il y avait là une chose toute nouvelle pour elle ; elle sentit une fois de plus passer cet étrange courant, qu'elle ne comprenait pas et n'aurait su expliquer. Les battements de son cœur – déjà si cruellement malmené – s'accélérèrent, exactement comme le mouvement des roues du M'attrape-qui-peut, lorsque la barre de fer chauffée au rouge était plongée dans son réservoir d'eau...

Qui sait ce qui se serait produit si, à ce moment précis, la porte de petit salon ne s'était ouverte sur Eleanor, suivie d'un Sir Hugh invariablement affable.

— Ah, te voici ! s'écria-t-elle. Nous avons vu le Rouspéteur repartir, mais nous ne savions pas où tu étais. J'espère que tout va bien et qu'il ne s'est pas montré trop désagréable !

— Moyennement seulement, répondit Julia avec un petit rire mal assuré.

L'arrivée si à propos de son amie lui ôtait un

grand poids, car Nathaniel avait prestement retiré sa main et détourné la tête, interrompant du même coup l'emprise quasi hypnotique de ses yeux. Elle sentait bien qu'elle venait de l'échapper belle : sans l'intervention d'Eleanor, elle aurait risqué de perdre tout contrôle sur la situation et de se laisser aller à quelque chose de parfaitement ridicule, comme par exemple, de permettre au jeune homme de l'embrasser.

Ce qui, elle devait bien l'admettre, était devenu affreusement tentant.

Quand la rupture de ses fiançailles ne remontait pas à une semaine ! Scandaleux ! Comment pouvait-elle, non seulement songer déjà à un autre, mais à lui, de surcroît ! Comme si la dernière fois qu'elle avait embrassé le frère d'une amie chez qui elle logeait n'avait pas entraîné assez de catastrophes !

Mais, de ce point de vue, Nathaniel Sheridan se révélerait sans doute très différent du divin Apollon, spéculait-elle. Tout bien considéré, les simples mortels ne manquent pas, eux non plus, d'un charme certain, surtout ceux à qui la nature a prodigué des lèvres si indéniablement... si parfaitement... dessinées, tel Nathaniel Sheridan.

— Mazette ! s'exclama Sir Hugh devant les roses qui avaient envahi la pièce. Ne trouvez-vous pas que le salon prend des airs de chapelle ardente, avec toutes ces fleurs ?

Atterrée de l'entendre commettre pareil impair et lâcher une allusion aussi morbide devant une compagne encore en deuil de ses fiançailles, Eleanor lui lança un bon coup de pied dans la cheville.

— Aïe ! Quelle mouche vous pique, ma chérie ? Je disais simplement que de rester enfermée dans cette espèce de mausolée ne doit pas être très folichon pour notre amie ! Que diriez-vous d'une promenade en voiture, Miss Sparks ? Voici bien longtemps que vous n'êtes sortie, je le sais, et vous auriez bien besoin d'un peu de vent dans vos cheveux et de soleil sur vos joues.

Julia contempla la rose posée sur ses genoux. Quelques heures plus tôt, elle aurait refusé net l'invitation de Sir Hugh, trop effrayée à l'idée de rencontrer inopinément Lord Sebastian pour ne serait-ce qu'envisager de se risquer dans le parc, mais, curieusement à présent, il lui semblait que ce dernier – ou plus exactement Apollon, qui l'avait toujours plus subjuguée que le simple vicomte – venait soudain de perdre jusqu'aux derniers restes son ascendant sur elle.

— Je vous remercie, Sir Hugh, et j'accepte avec plaisir, répondit-elle en relevant la tête avec un sourire. Si du moins, s'empressa-t-elle d'ajouter, Eleanor et son frère sont de la partie.

— Bien sûr, accepta aussitôt Eleanor.

Mais Julia attendait, non sans anxiété, la réaction du frère.

— Vous m'en verrez ravi, déclara-t-il alors, et la jeune fille sourit à la promesse de la lumière du soleil qui les attendait au-dehors.

Une jeune rescapée de l'ignominie d'une rupture de fiançailles était en droit de passer tout le restant de la saison hors du monde, loin des regards critiques et des langues acérées des douairières et des mères jalouses, dont les filles, n'ayant encore reçu aucune demande, auraient eu bien du mal à rompre quoi que ce soit. Mieux aurait sans doute valu pour Julia attendre pour réapparaître dans les salons l'année suivante, quand sa mésaventure serait, sinon oubliée, du moins charitablement mise sur le compte d'une erreur de jeunesse.

Mais ce n'était pas une jeune fille ordinaire et, contrairement à tant d'autres qui l'avaient précédée, elle ne s'empressa pas de fuir le scandale pour se réfugier dans une forme d'anonymat social. Elle ne resta pas plus d'une semaine cloîtrée chez les Sheridan. Le mercredi suivant la vit de retour à Almack, où elle fut accueillie avec une froideur manifeste, quoique teintée d'un soupçon de bienveillance : nul n'ignorait qu'elle était orpheline, sous la seule tutelle de Lord Renshaw, et les dames qui le connaissaient – autrement dit, presque toutes – ne pouvaient que plaindre sa pupille ; en outre, et bien que l'on fasse généralement plus de cas du riche et beau vicomte de Farnsworth que de la modeste jeune fille, personne ne condamnait par trop sévèrement Julia, que l'on jugeait surtout très jeune, abandonnée à elle-même, et en manque cruel de direction.

À son entrée dans les salons, si elle ne fut donc en butte qu'à un minimum d'hostilité... elle dut par contre affronter beaucoup de curiosité ; à peine avait-elle quitté le vestiaire qu'on la pressait de questions.

— Mais *pourquoi* as-tu rompu, voulait savoir Stella Ashton, quand c'est sans conteste le plus bel homme de la planète ?

— Je ne l'aurais jamais quitté, moi ! déclara pour sa part Sophia Dunleavy. Sauf si j'avais découvert à son sujet une chose effroyablement épouvantable, comme par exemple qu'il était pied-bot, ou alors déjà marié et pas encore veuf !

Stella, constata Julia non sans soulagement,

s'était enfin résolue à suivre ses conseils et avait troqué sa robe jaune pour une autre, d'un rose très pâle, qui lui allait bien mieux. Elle parut suffoquée.

— Oh, tu plaisantes, j'espère ! Lord Sebastian, une femme toujours en vie ? Mais où la cacherait-il ? Pas en Écosse, tout de même !

Julia s'employa donc à apaiser leurs craintes en leur assurant que, pour autant qu'elle le sache, le vicomte n'était affligé d'aucun pied-bot, ni d'aucune épouse secrète recluse dans le septentrion ; et d'expliquer à ses amies que, réalisant soudain qu'elle était trop jeune pour se marier, elle avait rendu à Lord Sebastian sa liberté afin de lui permettre d'en épouser une autre, plus digne de lui et plus à même de fonder immédiatement un foyer.

— Et vous devriez me remercier, les réprimanda-t-elle en guise de conclusion, de ce que chacune d'entre vous puisse maintenant tenter sa chance auprès de lui !

Ses compagnes lui en surent pour la plupart effectivement gré et se montrèrent aimables. Julia craignait plus que tout que certaines ne pressentent la véritable raison de sa rupture avec le vicomte, mais elle n'entendit pas une seule fois ce soir-là le nom d'Edward Pease, ni les mots tant redoutés : *il ne voulait l'épouser que pour ses terres dans le Northumberland !* Certains des affronts que, dans des circonstances analogues, une autre aurait immanquablement eu à subir lui furent donc épargnés.

Mais pas tous.

Si le scandale n'interdisait pas à Julia d'apparaître en public, il n'empêchait pas non plus les Bartholomew d'utiliser leurs tickets d'entrée pour les salons d'Almack. Ils y promenaient des airs outragés d'innocentes victimes.

Cette attitude se comprenait chez Honoria, qui, comme sa mère, ne savait probablement rien de l'effroyable machination tramée par Lord Farelly et Lord Sebastian, songeait Julia. La froideur de la sœur d'Apollon lui paraissait somme toute bien naturelle : n'avait-elle pas, à ses yeux, brutalement rompu avec les siens, sans daigner ni fournir la moindre explication ni presque même prendre congé ? Comment Honoria pourrait-elle pardonner de sitôt le tort considérable causé à son frère chéri ? Et Julia, dont les soupçons ne s'étayaient d'aucune autre preuve matérielle que la carte obtenue par des moyens peu avouables, ne pouvait en aucun cas lui révéler la vérité.

Lorsque Honoria la snoba cruellement en plein quadrille, Julia ravala donc son indignation et feignit de ne rien remarquer, bien qu'elle sache pertinemment que son humiliation n'avait échappé à personne et que la plupart des invités la jugeaient méritée. Tout lui parut soudain si injuste qu'elle en eut les larmes aux yeux, mais elle parvint toutefois à garder bonne figure jusqu'au bout et exécuta la révérence finale avec autant de grâce qu'à l'ordinaire.

Elle n'en bouillait pas moins intérieurement. D'autant que Honoria avait fait recoudre sur sa robe chacun des ornements que Martine et Julia s'étaient si patiemment employées à supprimer, ce qui la rendait franchement ridicule. Son amie, atterrée, aurait voulu pouvoir l'approcher et lui dire : *Haïssez-moi tant que vous voudrez, milady, mais de grâce ! ôtez ces plumes qui vous vont si mal !*

Mais pareil esclandre était impensable à Almack ; Julia se mordit donc les lèvres et tâcha de ne pas regarder dans la direction de Lady Honoria, par crainte de céder à l'irrépressible envie de cueillir une aigrette.

La jeune fille ne devait heureusement pas affronter seule toutes ces épreuves. Elle bénéficiait de la protection de Lord Sheridan qui, bien que seulement vicomte, avait un titre, outre la réputation de ne point ronfler trop fort à la

Chambre des Lords. La mère d'Eleanor, très respectée et appréciée dans le monde, avait également pris la jeune fille sous son aile, ce qui contribua à réduire nombre de mauvaises langues au silence : dans l'esprit des douairières, une jeune fille que Lady Sheridan jugeait digne d'intérêt ne pouvait être irrémédiablement perdue. En amis fidèles, Nathaniel, Eleanor et Sir Hugh ne la quittaient pas non plus d'une semelle, l'empêchant de se laisser aller à la tristesse ou au découragement et lui redonnant courage à chaque mésaventure.

Jusqu'à ce qu'elle l'aperçoive, à l'autre bout du salon.

Elle était parvenue à l'éviter pendant toute la semaine et ne l'avait pas revu depuis leur rupture. Beaucoup de ceux qui étaient là le savaient sans doute, et tous se turent lorsque les yeux de la jeune fille croisèrent ceux du vicomte, comme si les témoins de ce petit drame qui se jouait sous leurs yeux attendaient – ou peut-être même espéraient – que l'un des acteurs fasse une chose vraiment passionnante, comme d'éclater en sanglots et de s'enfuir, ou de brandir un pistolet et de s'en brûler la cervelle.

Ils en furent pour leurs frais – Julia ignora tout bonnement Apollon qui, après l'avoir gratifiée d'un long regard impénétrable, lui rendit la politesse – et les curieux frustrés, déçus de constater qu'on ne répandrait, en fin de compte, pas plus de sang que de larmes, se détournèrent.

Mais, malgré sa sérénité apparente, elle se sentait bien plus troublée par l'incident qu'elle ne voulait l'admettre : Apollon était apparu rayonnant à la lumière des candélabres, avec sa chevelure d'or un peu décoiffée par la danse, dans son habit mauve si seyant, et à l'idée qu'il aurait été à elle, à elle seule... qu'importe s'il ne l'aimait pas vraiment, ne l'avait-il pas choisie, choisie entre toutes ?

Fort heureusement Eleanor pressentit le danger. Elle saisit aussitôt son amie par les épaules et la secoua gentiment.

— *Amusante*, souviens-toi, chuchota-t-elle. Il t'a dit qu'il te trouvait *amusante* !

Il n'en fallut pas plus pour tirer Julia de l'accablement où l'avait plongée la vue de son ex-fiancé. Bien sûr ! À quoi songeait-elle donc ? Jamais ils n'auraient pu vivre ensemble : Lord Sebastian aurait tenté, dans l'intérêt de son père, de la convaincre de vendre l'Abbaye, et Julia s'y serait opposée, ce qui n'aurait entraîné que disputes et rancœurs. Elle en aurait alors été réduite au rôle de la misérable bru que l'on blâme systématiquement, et tout cela parce que – selon eux – elle se serait entêtée à refuser de se dessaisir d'une ridicule petite propriété dans le Northumberland.

Non, hors de question ! Elle n'y songerait même pas !

Elle chercha donc à se distraire et s'amusait beaucoup à détailler pour Nathaniel les multiples façons dont les dames et les jeunes filles de l'assistance pourraient, de quelques petites modifications de leur toilette, améliorer considérablement leur apparence, quand le Mollusque surgit.

Julia en venait à se demander si elle verrait jamais la fin des épreuves que lui réservait cette pénible soirée : au dédain ostensible et humiliant des Bartholomew s'ajoutait maintenant l'insupportable présence de ce parent éloigné.

Cherchait-il à attirer particulièrement le regard ? Il avait, cette fois, opté pour un habit en satin terre de Sienne sur un gilet d'un rose outrageant, qui fit frémir la jeune fille. Il ne restait qu'à espérer, se dit-elle, que le tailleur qui avait commis une telle horreur entendait plaisanter, car il convenait sinon de le traîner en place publique et d'étouffer dans l'œuf tout risque de récidive en le passant incontinent par les armes.

— Harold ! ne put-elle s'empêcher de s'exclamer. Qu'avez-vous donc contre le noir ? Rien de plus élégant pourtant, sur un homme, qu'un habit sombre bien coupé...

Le Mollusque ne semblait guère d'humeur à tirer profit des judicieuses remarques vestimentaires de Julia. Il s'inclina hâtivement et lui coupa immédiatement la parole.

— Ma cousine ! Puis-je vous parler immédiatement ? demanda-t-il. Et *en privé*, s'il vous plaît, ajouta-t-il avec un coup d'œil appuyé à Nathaniel qui l'observait, un sourcil levé.

— Vous savez, Blenkenship, lui fit remarquer ce dernier, il n'est d'ordinaire pas considéré bien élevé de discuter de choses privées lors d'une réunion publique. Ne serait-il donc pas préférable que vous demandiez à Miss Sparks d'accepter de vous recevoir demain ?

Le ton de Nathaniel ne laissait aucune place au doute : il ne s'agissait pas là d'une suggestion, mais bien d'un ordre. Le Mollusque pourtant insista, les lèvres parcourues d'un frisson nerveux ; il n'était pas, comme son père, allergique aux fleurs des nombreux bouquets qui ornaient la pièce, il tremblait d'émotion.

— Je crains que cela ne soit impossible, monsieur Sheridan ! Il me faut absolument m'entretenir, *d'urgence*, avec Miss Sparks !

Julia poussa un soupir, se leva et tendit la main à son petit-cousin.

— Très bien ! Je ferai avec vous un aller-retour – un seul – jusqu'à l'autre bout du salon. Si ce laps de temps ne vous suffit pas pour tout me dire, vous n'aurez qu'à m'écrire le reste dans une lettre. Je n'ai pas la patience de vous entendre plus longuement ce soir, comme vous le concevrez aisément.

Elle faisait allusion, bien sûr, à son statut actuel de jeune fille en rupture de fiançailles avec l'un des membres les plus élégants et les plus recherchés du cercle... statut loin d'être des plus enviables.

— C'est justement pour ça que je suis venu ! bredouilla à la hâte le Mollusque alors qu'ils entamaient la première moitié de la distance concédée par Julia. Pour vous parler de Lord Sebastian !

Plusieurs têtes se tournèrent dans leur direction.

— Moins fort, Harold, je vous prie ! siffla la jeune fille avec un regard irrité pour son petit-cousin.

Le Mollusque baissa la voix.

— J'ai essayé de vous joindre pendant toute la semaine, chuchota-t-il en lançant de petits coups d'œil nerveux de tous côtés. Je dois vous parler d'une chose très sérieuse ! Pourquoi avez-vous refusé de me voir ?

— Mille pardons, Harold ! répondit-elle sarcastiquement. Je venais de rompre avec l'homme de ma vie. Vous me voyez on ne peut plus désolée de ne pas avoir accepté de visites, mais il se trouve que – comme n'importe quelle personne douée d'un minimum de bon sens le comprendrait sans peine – j'étais malade de chagrin !

Le Mollusque eut l'air extrêmement surpris.

— Vous, Julia ? Incroyable ! Cela ne vous est pourtant jamais arrivé, même pas à la mort de votre poney !

La jeune fille n'aspirait qu'à une chose : regagner enfin sa place près de Nathaniel, sur le sofa, dans le coin du salon. Elle s'était rendu compte récemment qu'elle se plaisait en compagnie du frère d'Eleanor, et pas seulement parce qu'il était beau, même si cela ne gâchait rien. Elle sentait entre eux, depuis leur conversation dans le petit salon, une forme d'accord tacite. Malgré encore nombre de discussions – sinon de disputes, comme cet après-midi, à propos du dernier ouvrage de M. Scott (que Julia tenait pour un chef-d'œuvre, quand Nathaniel n'y voyait qu'un infâme galimatias tout juste bon pour les masses populaires) –, les deux jeunes gens s'entendaient à présent plus souvent bien que mal, et se rejoignaient même parfois, pour dire, par exemple, que Sir Hugh avait une heureuse influence sur Eleanor, ou que Philip devrait être tenu beaucoup plus sévèrement que ne le faisait aucun de ses parents. Oui, elle voulait retrouver la compagnie de Nathaniel et en finir au plus tôt avec cette pénible conversation !

— Je vous assure, Harold, dit-elle d'un ton las, que je n'invente rien et que j'ai souffert de cette rupture ! Venez-en donc au fait, s'il vous plaît ! Qu'avez-vous à m'apprendre de si urgent que cela ne puisse attendre, et que vous insistiez pour m'en parler maintenant, en plein bal ?

Le Mollusque inspecta à nouveau furtivement les alentours d'un air anxieux – Julia se demanda pourquoi il semblait tant redouter que l'on ne surprenne une conversation pourtant bien anodine – et poursuivit d'une voix si basse qu'elle dut se courber dans une posture bien peu élégante – Madame en aurait été choquée – pour l'entendre.

— Voyez-vous, Julia, j'ai cru comprendre que vous avez parlé à mon père, l'autre jour.

— Effectivement, répondit-elle, agacée. (Quel affreux mollasson il faisait !) Et alors ?

— Vous lui avez appris que vous connaissiez l'existence d'Edward Pease, et que vous saviez qu'il projette de construire une voie ferrée jusqu'aux mines de Killingworth.

— C'est vrai, concéda-t-elle, un peu surprise de le voir au courant de ces détails. Je lui en ai parlé.

— Vous n'auriez pas dû, Julia, déclara alors solennellement le Mollusque. Non, vous n'auriez pas dû faire ça !

— Faire quoi ? interrogea la jeune fille, éberluée.

— Vous n'auriez pas dû dire à mon père que vous étiez au courant du lien entre Edward Pease et Lord Farelly, et encore moins lui révéler que vous aviez percé à jour leurs intentions !

— Je ne vois pas pourquoi ! s'exclama-t-elle. C'est pourtant vrai, non ?

— Oui, mais mieux aurait valu feindre de l'ignorer ! Je n'imaginais pas une seule seconde quand je vous ai dit ce nom – celui d'Edward Pease – qu'il ne vous était pas inconnu.

Julia n'aimait pas les devinettes et la conversation prenait un tour bien trop mystérieux à son goût.

— Où cherchez-vous à en venir, Harold ? Qu'essayez-vous donc de me dire ? Vous vous montrez vraiment insupportable, ce soir !

Le Mollusque saisit alors brutalement la main de la jeune fille et l'attira tout près de lui.

— Vous courez un danger, Julia, murmura-t-il d'un ton pressant. Un très grave danger, *un danger de mort* !

14

Julia releva la tête, pas le moins du monde impressionnée.

— Bonté divine, Harold ! Vous faut-il absolument voir les choses sous un jour aussi dramatique ?

Le Mollusque s'écarta un peu. Il avait l'air offensé.

— Je vous parle sérieusement, Julia. Ces hommes ne plaisantent pas, et on ne plaisante pas non plus avec eux !

— Je n'en doute pas, répondit-elle en rectifiant les plis mis à mal de sa manche. Dois-je en conclure qu'ils comptent m'assassiner, pour que votre père hérite de l'Abbaye, la vende et récupère ainsi les douze mille livres ?

— Douze mille livres, pensez-vous ? reprit-il

d'un ton consterné. Mais, Julia, il s'agit de bien plus que ça ! Douze mille, c'était seulement votre part, Père aurait été récompensé d'avoir su vous faire plier.

— Vous m'en direz tant ! Et je devrais sans doute vous en féliciter, n'est-ce pas ? ironisa-t-elle froidement.

Julia regarda autour d'elle : tous semblaient fort occupés à danser et à bavarder, à flirter et à s'éventer, et aucune autre jeune fille ne paraissait avoir découvert que ses seuls parents au monde complotaient pour la tuer et la dépouiller de son héritage. *Vraiment,* songea-t-elle, *toute cette histoire de chardon au gré du vent ne m'emporte pas du tout où elle le devrait !*

— Eh bien ? Qu'attendez-vous encore de moi, maintenant que me voici au courant de cette abomination ? Dites-moi donc ce que je dois faire, à présent ! poursuivit-elle, hostile.

Le Mollusque s'affola et se mit à cligner ses petits yeux porcins.

— F-f-faire ? répétait-il, l'air idiot. N'est-ce pas évident, c-c-ce que vous devez faire ? Mais vous devez vous cacher, bien sûr !

Julia faillit éclater de rire.

— Me cacher ! Non, je n'y songe pas. Je crois

qu'il serait bien plus raisonnable de porter l'affaire devant les tribunaux.

— Ne faites pas ça, Julia, surtout pas ! Imaginez le scandale !

— Harold, dit-elle en le fusillant des yeux, vous venez juste de m'annoncer que je courais un danger. Un très grave danger, avez-vous même dit. Et vous vous souciez à présent du scandale qu'une plainte en justice pourrait entraîner ? Dois-je comprendre que vous considérez mon meurtre comme socialement plus acceptable ?

— C'est-à-dire... je..., bafouilla-t-il, penaud. Non, p-p-pas exactement... je... je me suis peut-être... laissé un peu emporter. Je n'aurais pas dû dire *très* grave. Ils ont seulement l'intention de vous effrayer un peu, si j'ai bien compris. Je ne suis pas sûr d'avoir tout bien saisi... j'écoutais par le trou de la serrure, voyez-vous !

— Vous conviendrez alors que ce que vous racontez ne peut être que sujet à caution, répliqua-t-elle sèchement.

— Julia, je sais ce que j'ai entendu ! Ils – c'est-à-dire Père et Lord Farelly – mijotent quelque chose, un sale coup, sans doute ! Si vous aviez un peu de bon sens, vous quitteriez Londres immédiatement !

Elle eut un petit reniflement de dédain.

— Hélas ! Je prévoyais bien que vous réagiriez ainsi, j'aurais au moins essayé, dit le Mollusque. (Son visage s'éclaira soudain.) Vous savez, il y a quand même des chances pour qu'on ne veuille pas *vraiment* vous tuer ! Si ça se trouve, ils ne cherchent qu'à vous intimider, et...

— Voilà qui me rassure, l'interrompit Julia, mais que dois-je faire alors, selon vous ?

Le Mollusque se passa la langue sur les lèvres. Il paraissait nerveux... plus nerveux encore qu'à l'accoutumée.

— J'aurais bien un plan, dit-il, mais je dois dire qu'il est plutôt... risqué.

Julia n'aurait pas été autrement surprise d'apprendre que son petit-cousin trouvait risqué d'aller jusqu'au coin de la rue acheter le journal, mais elle s'efforça de se montrer patiente.

— De quoi s'agit-il, Harold ?

— Eh bien, je suppose que vous ne savez pas que je fais du dessin de mode, de mode masculine.

Le regard de la jeune fille glissa – non sans appréhension – du visage du Mollusque au satin terre de Sienne de son vêtement.

— Effectivement, je l'ignorais. Est-ce à dire que vous avez... conçu vous-même cet habit que vous portez ce soir ?

— Moi-même, oui, parfaitement, prononça le Mollusque avec suffisance. Il vous plaît ?

— Tout à fait original, murmura-t-elle.

— C'est bien ce que je pense, moi aussi ! Mais les gens en Angleterre sont très conservateurs en ce qui concerne les tenues des messieurs. On apprécie rarement mes créations à leur juste valeur, ici, et c'est pourquoi, ces derniers temps... ces derniers temps, Julia, j'ai songé à... à prendre le large, à partir pour... l'Amérique.

Julia fut effarée.

— L'Amérique ? Vous, Harold ? *Vous* ?

Le Mollusque eut un petit rire incertain.

— Oui, je sais bien, c'est de la folie, mais ce serait sans doute la meilleure solution. Père... je ne vous apprendrai rien en vous disant qu'il ne me laissera jamais m'établir dans la haute couture. Alors qu'en Amérique, voyez-vous, je pourrais repartir de zéro : on y est bien plus tolérant, et on y accepte les idées nouvelles...

Julia fut prise de pitié en songeant à tous ces malheureux qui, de Boston à New York, auraient à subir l'affligeant spectacle des conceptions saugrenues de son petit-cousin en matière de mode.

— Oh ! Quelle... chance pour vous, Harold !

Il lui saisit à nouveau la main. Son visage blême et mou reflétait l'inquiétude.

— Vous ne comprenez pas encore, Julia, dit-il avec agitation. Je vous propose de... de partir avec moi ! Vous en savez long sur la couture et toutes ces choses-là, nous pourrions monter une petite affaire là-bas, apporter au Nouveau Monde un nouvel art, un souffle audacieux... et de plus, vous y seriez en sécurité !

Julia ne put s'empêcher de se sentir touchée par cette offre ingénue, même si elle ne se sentait pas plus encline à émigrer en Amérique en compagnie de son petit-cousin qu'à autoriser le Blutcher à traverser son salon. Elle lui pressa légèrement la main, mais la relâcha aussitôt : ses doigts étaient devenus désagréablement moites.

— Comme c'est gentil à vous, Harold, lui répondit-elle, mais vous savez bien que je n'ai jamais été de celles qui battent en retraite et reculent devant l'adversité. Il n'y a aucune raison pour que je commence maintenant.

Le Mollusque eut l'air déçu, sinon surpris, et ses épaules s'affaissèrent légèrement sous les rembourrages de son absurde habit.

— Votre refus me chagrine plus qu'il ne m'étonne, mais au cas où vous changeriez d'avis, sachez que j'ai retenu une place sur un navire qui part demain soir pour Philadelphie. J'ai également retenu une chambre au Chien blanc... c'est le nom de l'auberge juste en face, sur le quai où le bateau est amarré. J'y serai, si vous avez besoin de moi.

— Ce ne sera pas le cas, assura-t-elle.

Nathaniel approchait.

— Venez, Julia ! intervint-il de ce ton qu'elle trouvait autrefois insupportablement railleur, mais qu'elle savait maintenant être simplement amical. Le Sir Roger va commencer ! Souvenez-vous, vous me l'avez promis la semaine dernière !

Elle n'avait rien promis de la sorte, mais Nathaniel, bien loin de soupçonner que le Mollusque cherchait à entraîner la jeune fille à l'autre bout de la planète pour la mettre à l'abri des sombres visées de son père, semblait croire qu'il tentait de lui extorquer la prochaine danse. Il volait à la rescousse.

Quelques instants plus tard, alors qu'ils tournaient sur la piste, Julia lui exposa la situation.

— Vous tuer ? s'écria le jeune homme d'un air extrêmement choqué. Ils veulent vous *tuer*, Julia ?

— Peut-être pas vraiment, dit-elle, mais au moins me faire peur. Harold n'avait pas l'air de savoir très bien. Il écoutait aux portes, et...

— Il faut en informer les magistrats immédiatement, décréta Nathaniel en lui pressant la main.

— Les informer de quoi, exactement, Nat ? De ce que mon petit-cousin, un pleutre notoire, qui s'alarme le plus souvent sans raison, pense qu'il pourrait peut-être avoir entendu son père dire qu'il aimerait bien m'assassiner ?

Nathaniel fronça les sourcils, et Julia constata, non sans surprise, que cela ne l'enlaidissait nulle-ment.

— C'est une chose très grave, Julia, dit-il. Je vais en parler à mon père. Il saura forcément...

— Non, Nat, non ! protesta-t-elle. Je vous en prie, n'en dites rien à Lord Sheridan ! Je ne veux pas qu'on apprenne que Sebastian Bartholomew ne voulait m'épouser que pour que son père puisse faire passer une voie de chemin de fer sur mes terres ! Il m'est déjà bien assez pénible, ajouta-t-elle amèrement, de *vous* savoir au cou-rant.

S'immobilisant soudain au beau milieu de la danse, Nathaniel la fixa d'un regard étincelant. Ses yeux pailletés d'or, à la lueur mouvante des chandelles, luisaient comme ceux d'un félin.

— Julia..., dit-il d'une voix grave, bien plus sourde qu'à l'ordinaire.

Et la jeune fille frissonna devant le magnétisme de ces pupilles de chat. De l'entendre ainsi aban-donner soudain son surnom familier pour son prénom complet, elle recula sans y penser d'un pas...

...et, entrant brutalement en collision avec un homme juste derrière elle, perdit du même coup toute chance de découvrir ce que Nathaniel allait lui dire.

— Miss Sparks !

De surprise, Julia trébucha et serait tombée, si Lord Sebastian, contre qui elle s'était cognée, ne l'avait saisie fermement par le coude pour la remettre sur pied.

— Quel bon vent, Miss Sparks, quand j'espérais tout justement pouvoir m'entretenir un instant avec vous ! s'exclama d'un ton affable, mais que démentait l'animosité glacée de ses yeux bleus, l'homme qu'elle considérait jadis à l'égal d'un dieu.

— Elle n'a rien à vous dire, Farnsworth ! répondit Nathaniel à sa place en s'emparant de l'autre bras de la jeune fille et en essayant de l'entraîner à lui. Venez, Julia !

Lord Sebastian ne lâchait pas prise.

— Il me semble, déclara-t-il, que c'est à Miss Sparks, et à elle seule, de décider si, oui ou non, elle souhaite me parler.

Non, Julia ne voulait certainement pas lui parler, mais tous la blâmaient déjà assez pour avoir rompu ses fiançailles avec Lord Sebastian, ce gentilhomme d'une si belle tournure. Un éclat en plein Sir Roger ne ferait qu'envenimer les choses, et elle n'avait pas l'intention d'endosser la responsabilité d'un nouveau scandale.

— Tout ira bien, n'ayez crainte, murmura-t-elle à Nathaniel en libérant doucement ses doigts. J'en ai seulement pour une minute !

Elle ne lui laissa pas le temps de protester.

— Soyez bref, milord, poursuivit-elle à l'adresse du vicomte en lui prenant le bras sans daigner le regarder, car je n'ai ni le loisir ni la patience pour vos futilités.

Lord Sebastian saluait aimablement de la tête les douairières qu'ils croisaient – qui, le voyant aux côtés de son ex-fiancée, s'empressaient de baisser les yeux et de se plonger dans des chuchotements affairés. Il ne parut en rien affecté par la froideur de la jeune fille.

— Voyons, Julia, dit-il avec un petit signe de la main pour une vieille tante célibataire au fond du salon, pensiez-vous vraiment toujours réussir à m'éviter ?

— Je l'espérais, tout du moins !

— Vous me peinez, Julia, vous me brisez le cœur ! énonça Lord Sebastian.

Il semblait presque y croire.

— Pourquoi m'avez-vous renvoyé toutes mes lettres sans même les décacheter ?

— Parce que je n'avais aucune envie de les lire, rétorqua-t-elle.

Apollon ne se formalisa pas de cette réponse.

— Et pourquoi refusiez-vous de me recevoir ?

— Parce que je n'éprouve pour vous que du mépris.

— Je ne vous crois pas, dit-il.

Ils atteignaient une petite antichambre, dont les occupants s'éclipsèrent avec des airs entendus en les voyant. Le vicomte en profita pour mettre aussitôt un genou en terre devant la jeune fille et porter sa main, qu'il n'avait pas lâchée, à ses lèvres.

— Julia ! s'écria-t-il théâtralement. Comment pouvez-vous vous montrer si cruelle envers un homme dont le seul tort est de vous adorer ?

Il était d'un ridicule !

— Relevez-vous donc, répondit-elle avec un mouvement de répugnance. Vous avez l'air d'un parfait idiot, comme ça ! Et que vous m'adoriez, ça, c'est du nouveau ! Pour autant qu'il m'en souvienne, vous affirmiez, lors de notre dernière rencontre, que vous me trouviez *amusante*, ce qui, à mon sens, n'a rien à voir avec l'amour. Sans compter que votre père complote avec mon tuteur pour m'assassiner !

Lord Sebastian eut l'air étrangement déconcerté.

— Vous assassiner ? répéta-t-il. Mais Père n'oserait jamais ! Et mon cœur, Julia, cesserait aussitôt de battre, si vous...

— Oh, épargnez-moi vos jérémiades ! Dites-moi plutôt ce que votre père manigance, et ce qu'il se propose de faire au sujet de l'Abbaye. Car sachez que je ne la vendrai jamais et que je la défendrai jusqu'à mon dernier souffle, ce dont vous feriez aussi bien de l'informer !

Apollon soupira, se releva et se pencha pour s'épousseter les genoux.

— Julia, reprit-il sur un tout autre ton. Soyez une bonne fille et épousez-moi donc sans faire d'histoire ! Vous n'aurez pas à le regretter, nous nous amuserons bien ensemble !

La jeune fille songea que c'était sans doute là sa vraie voix et s'étonna de ne la découvrir que maintenant, alors que tout était fini entre eux. Elle tapa du pied avec impatience.

— Mais je ne veux pas *bien m'amuser* avec vous ! s'exclama-t-elle avec véhémence. Je veux me marier avec un homme pour qui j'éprouverai – et qui éprouvera pour moi – une passion éternellement brûlante ! Il n'est pas question de s'amuser, mais de trouver dans les bras l'un de l'autre une félicité infinie ! Est-ce bien clair, milord ?

La lèvre inférieure de Lord Sebastian s'avança légèrement. Julia crut tout d'abord à une moue, mais reconnut bientôt l'expression que prenait son ex-fiancé quand il se mettait à réfléchir.

— Vous avez raison, la passion, c'est vraiment splendide ! Mais êtes-vous bien sûre de ne pas vouloir vous amuser ? Il n'y a pas à hésiter, vous savez : j'offrirai à ma femme toutes les distractions au monde ! Nous voyagerons, même, si vous le souhaitez ; en Grèce, ou quelque part par là. J'ai entendu dire que c'était un pays tout ce qu'il y a de plus divertissant.

— Je ne souhaite pas aller en Grèce, milord, dit Julia. Je veux savoir ce que le Rouspéteur et votre père comptent faire ! Êtes-vous au courant ? Si oui, dites-le-moi ! Sinon, je vous saurais gré de cesser de me faire perdre mon temps.

Lord Sebastian fit la grimace et prit un air boudeur.

— Vous êtes vraiment une créature des plus contrariantes, Julia, maugréa-t-il. Toute autre jeune fille sauterait sur l'occasion d'épouser un homme aussi complaisant que moi !

— En voilà assez, je vous laisse ! déclara-t-elle sans s'émouvoir.

Elle tourna les talons.

— Un instant, Julia ! s'écria-t-il.

La jeune fille s'immobilisa sous la voûte qui séparait l'antichambre du grand salon.

— Qu'y a-t-il encore, milord ?

Le vicomte soupira, baissa la tête et contempla ses souliers.

— Pourquoi devez-vous toujours tout compliquer ainsi ?

Il releva le visage.

— Très bien, je vais vous dire ce qu'il en est : je crois que Lord Renshaw avait prévu de vous faire passer pour folle...

— De me faire interner, vous voulez dire ? s'exclama-t-elle, horrifiée.

— C'est ça, dans un asile d'aliénés. Cela aurait permis à votre oncle de gérer lui-même votre fortune...

— *Ce n'est pas* mon oncle, intervint-elle sèchement.

— Mais Père est parvenu à l'en dissuader, continua Lord Sebastian en ignorant l'interruption. Il l'a convaincu que vous aviez bien trop d'amis – les Sheridan et les autres – pour venir se porter garants de votre santé mentale, qu'on ne le croirait pas. Lord Renshaw a donc abandonné cette idée.

— Encore heureux, dit-elle, les dents serrées. Moi, folle ? C'est du dernier grotesque !

Elle scruta attentivement le visage du vicomte.

— Eh bien, poursuivez donc, car j'imagine que ce n'est pas tout et qu'ils n'en sont pas restés là. Ils ont sûrement un plan de rechange !

— Comme vous y allez, Julia ! s'impatienta Lord Sebastian. Figurez-vous que vos terres ne sont pas les seules du Northumberland, et que votre refus ne met en rien un terme à ce projet : la voie de chemin de fer contournera l'Abbaye de Beckwell au lieu de la traverser, voilà tout !

Julia ne se sentait pas très portée à faire confiance à celui qui se déclarait, une semaine plus tôt, ravi de l'épouser sans l'aimer, mais elle dut reconnaître que le vicomte paraissait cette fois on ne peut plus sincère : visiblement excédé par cette conversation, il semblait tout sauf désireux de la prolonger, et l'on pouvait donc supposer qu'il ne mentait pas.

— Julia ?

Nathaniel Sheridan avait surgi sous la voûte et les contemplait, raide comme la justice, bras croisés et mâchoires serrées... dans une attitude que la jeune fille, qui voyait nerveusement un muscle tressaillir sur son menton, jugea quelque peu inquiétante.

Lord Sebastian aperçut le jeune homme et se méprit.

— Rassurez-vous, prononça-t-il d'un air dégoûté, je vous la laisse !

Et il sortit, en le bousculant légèrement au passage.

Julia se sentit devenir écarlate. *Ce n'est pas ça !* aurait-elle voulu pouvoir crier. *Pas ça du tout ! Nous sommes amis, rien de plus.*

Sans même relever l'allusion, Nathaniel s'écarta en silence pour laisser passer le vicomte, puis se tourna vers Julia et lui tendit la main.

— Venez, dit-il. Nous rentrons à la maison.

Et elle se prit brusquement à regretter que Lord Sebastian n'ait pas eu raison... que Nathaniel et elle ne soient pas *plus* que de simples amis.

Insensé ! Absolument, indiscutablement et positivement ridicule ! Nathaniel, le frère aîné de sa meilleure amie, ce garçon exaspérant, toujours à se moquer d'elle, à railler son goût pour les poètes romantiques et les robes ! L'idée même qu'il puisse y avoir quelque chose entre eux... !

Ridicule !

15

Chère Mamie, écrivait Julia. *J'espère que cette lettre vous trouvera, Puddy et toi, en bonne santé. Bien des choses se sont produites depuis que je vous ai écrit pour la dernière fois, et je regrette de devoir vous apprendre que je n'ai eu d'autre choix que de rompre mes fiançailles avec Lord Sebastian. Celui-ci, en effet...*

Julia s'interrompit et mordilla pensivement le bout de sa plume. Comment poursuivre et exposer la situation à Mamie, sans la bouleverser ni lui dissimuler la vérité ?

... s'est révélé tout autre que ce que j'imaginais. Mais ne craignez rien, je ne suis pas malheureuse ; je l'ai été, je dois l'avouer, horriblement malheureuse, mais j'ai compris depuis

lors que cette prétendue catastrophe n'en était en réalité pas une. Je ne deviendrai donc pas vicomtesse, mais je reste, et resterai toujours, votre Julia affectionnée.

Voilà, se dit-elle en relisant sa lettre. Le ton était juste, ni trop triste ni trop insouciant. Il faudrait simplement ajouter un mot concernant les Sheridan – et surtout le frère d'Eleanor, qui s'était montré si gentil avec elle, ces derniers temps. Non que Mamie risque un jour de le rencontrer, cette éventualité était des plus improbables : compte tenu des incessantes prises de bec entre les jeunes gens, Julia avait autant de chances de recevoir une déclaration de Nathaniel que de le voir marcher sur la lune.

Elle jeta un coup d'œil discret au jeune homme qui lisait le journal à l'autre bout du salon et se demanda comment, après avoir décrit le vicomte à Mamie en des termes aussi enthousiastes, elle pouvait maintenant lui faire comprendre qu'elle soupçonnait ne l'avoir jamais véritablement aimé. Nul doute qu'il l'avait subjuguée, mais comment, sans vraiment le connaître, en était-elle venue à se figurer qu'elle l'aimait ? Alors qu'elle ignorait jusqu'à ses goûts en matière de thé, son opinion sur ce perfide Napoléon Ier, ou s'il considérait Mozart comme un génie ou un opportuniste !

Elle savait bien, par contre, ce que pensait Nathaniel sur chacun de ces sujets, et sur bien d'autres encore : elle savait qu'il appréciait le théâtre, mais haïssait l'opéra ; qu'il aimait la pêche, mais pas le poisson ; et que, s'il pouvait lire un livre entier en une soirée – même un gros livre rébarbatif —, il ne se plaisait pas moins à la consacrer à aider son jeune frère à construire une forteresse avec les chaises de la salle à manger et les plus belles nappes de sa mère.

Avait-il senti sur lui les yeux de la jeune fille ? Nathaniel abaissa son journal et la fixa curieusement à travers la mèche sombre qui lui retombait, comme toujours, sur le front.

— M'aurait-il subitement poussé des cornes, pour que vous me dévisagiez ainsi, Miss Sparks ? demanda-t-il sèchement.

— Mais, pas du tout ! répondit-elle en baissant hâtivement la tête sur sa lettre, tant pour dissimuler le feu de ses joues que pour échapper à son regard scrutateur.

— Des cornes ! gloussa Philip qui jouait avec l'un des chiens. J'aimerais bien voir ça !

— Nathaniel, laisse donc Julia tranquille !

intima Lady Sheridan, qui rédigeait elle aussi sa correspondance.

— Avec plaisir, dit-il en se replongeant dans sa lecture.

Catastrophe ! pensa la jeune fille. *Maintenant, il s'imagine sans doute que je suis amoureuse de lui, alors que ce n'est pas le cas, pas le cas* du tout !

Sauf que...

Sauf qu'il était vraiment *très* élégant en tenue de soirée, c'était indéniable ! Devait-elle le mentionner dans sa lettre, ou était-il plus important d'écrire que Nathaniel avait réussi sa licence de mathématiques à Oxford avec la mention très bien ? Qu'est-ce qui présenterait le jeune homme à Mamie sous son meilleur jour, le diplôme ou l'habit ? Ou bien fallait-il passer tout cela sous silence, et comparer plutôt la couleur des yeux de l'aîné des Sheridan et celle des eaux de la Tweed en automne ?

Le majordome Winters entra dans le salon, un plateau d'argent à la main.

— Une missive vient d'arriver pour Miss Sparks, madame, dit-il d'une voix inexpressive.

Lady Sheridan, préoccupée par sa propre lettre, dans laquelle elle informait sa sœur que le moment n'était peut-être pas des mieux choisis pour que celle-ci, accompagnée de ses sept enfants, ne lui rende visite, le congédia d'un vague geste de la main.

Winters s'inclina et présenta le plateau à Julia. La jeune fille ne recevait que rarement des messages par courrier spécial, et elle sentit, alors qu'elle rompait le sceau, peser sur elle les regards intrigués d'Eleanor et de son frère.

Très chère Miss Sparks,

Vous me voyez dans un embarras dont vous seule, avec votre œil exercé en matière de mode, pouvez me tirer : je cherche un châle pour Eleanor, mais reste perplexe quant au choix du motif et des couleurs. Je vous écris de Grafton House ; soyez donc un ange, ne refusez pas votre aide à un homme qui veut faire une surprise à l'élue de son cœur et venez me rejoindre ! Inutile de vous préciser que je compte sur votre discrétion, car j'ai l'intention de lui faire ce présent pour fêter le premier mois de notre rencontre.

Volez donc immédiatement à ma rescousse, je vous en supplie !

Sir Hugh

Julia dut se retenir pour ne pas se lever d'un bond. Elle avait toujours trouvé le fiancé d'Eleanor aimable, mais il venait de prendre définitivement une place dans son cœur : pensez donc, un homme suffisamment épris pour juger nécessaire de célébrer un anniversaire d'un mois, et pour offrir à cette occasion un châle à sa belle ! Et qu'importe si Lady Sheridan – qui, avec ses idées surannées, considérait les fleurs, les bon-bons et les livres les seuls présents convenables entre deux fiancés – confisquait aussitôt le cadeau, trop personnel !

Comme c'était gentil de la part de Sir Hugh d'avoir pensé d'abord à elle, Julia, pour le conseiller dans le choix de ce vêtement ! Ne prouvait-il pas ainsi qu'elle était, à ses yeux, *la* spécialiste de la mode ? Il est vrai que, sur ce terrain, elle ne craignait personne !

— Pas de mauvaises nouvelles, j'espère, Julia ? dit Eleanor d'un air inquiet.

— Tu vois bien à sa mine qu'il n'en est rien, déclara Nathaniel, amusé. Elle ressemble à un chat qui aurait fourré son museau dans une jatte de crème !

Julia replia la lettre d'un air dégagé, la glissa dans sa manche et se leva.

— Non, c'est juste Stella Ashton, répondit-elle

sur un ton aussi désinvolte que possible. Elle m'écrit qu'elle s'arrache les cheveux de ne pas arriver à décider de sa tenue pour le théâtre ce soir, et me prie de venir chez elle.

— Voilà qui ne me surprend guère, approuva Eleanor en retournant à sa lecture. Après tout, sans toi, elle porterait sans doute encore son affreuse robe jaune !

— Ne me dites pas que vous comptez vous y rendre ! s'exclama Nathaniel, stupéfait.

— Bien sûr que oui ! De toute évidence, elle a besoin de moi.

— Pour *s'habiller* ?

— Ne soyez pas stupide, sa femme de chambre est là pour ça ! Elle me demande seulement de l'aider à choisir, c'est tout.

Nathaniel reposa son journal d'un air écœuré, se leva et, secouant la tête comme pour dire *Ah, ces femmes !*, quitta la pièce, et Julia songea que le jeune homme gagnerait à prendre exemple sur de vrais gentlemen, tel Sir Hugh.

— Puis-je y aller, Lady Sheridan ? demanda-t-elle.

— Bien sûr, ma chérie, répondit cette dernière sans lever les yeux de sa lettre. Veillez simplement à ne pas être en retard pour le déjeuner !

— N'ayez crainte, je serai de retour bien à

temps, assura Julia qui sortit chercher son bonnet et ses gants.

Arrivée dans la rue, elle s'arrêta, perplexe : Sir Hugh ne lui avait pas indiqué *comment* se rendre à Grafton House, et une jeune personne ne se déplaçait d'ordinaire pas sans escorte, fût-ce dans les quartiers les plus chics de la capitale. Elle ne voyait pourtant rien d'autre à faire. Il comptait sans doute la raccompagner par la suite en voiture, mais Julia devait gagner par elle-même la boutique, fort heureusement assez peu éloignée de la demeure des Sheridan. Une femme dans sa situation – c'est-à-dire en rupture de fiançailles – ne pouvait absolument pas se permettre d'être vue, arpentant seule et à pied les rues de la ville, raisonna-t-elle, car cela reviendrait à s'exposer aux remarques perfides des mauvaises langues, déjà trop disposées à critiquer la conduite de celle qui avait osé offenser un personnage aussi distingué que le vicomte de Farnsworth. Elle examina donc le contenu de son réticule et, constatant qu'elle avait assez pour prendre un fiacre, opta pour cette solution. Une voiture approchait, justement, qui semblait libre. Julia lui fit un signe de la main et le cocher mit son cheval au pas : elle jouait de chance.

— Menez-moi à Grafton House, je vous prie ! dit-elle en s'installant sur la banquette de cuir.

— À vos ordres, mademoiselle !

Il claqua de la langue à l'adresse du cheval.

Julia s'adossa au siège et chercha à se représenter la surprise de son amie, lorsqu'elle ouvrirait son cadeau. Avant même d'avoir vu les châles devant lesquels Sir Hugh hésitait, elle savait déjà exactement celui qu'il convenait d'acheter : une pièce en soie de Chine jaune vif, ornée de paons bleus et verts, devant laquelle les deux jeunes filles étaient restées en extase lors de leur dernière visite au magasin. Elle coûtait une fortune, mais cela ne gênerait probablement pas Sir Hugh, qui aurait à cœur, naturellement, d'offrir le plus beau à sa fiancée ; et le vert des plumages ferait si joliment ressortir les paillettes émeraude des yeux d'Eleanor !

Absorbée par son agréable rêverie, elle en était à imaginer Nathaniel, tout attendri devant sa sœur enchantée du présent, se tournant vers elle pour lui déclarer « Et si nous imitions ces tourtereaux, Julia, qu'en dites-vous ? », quand elle réalisa soudain qu'elle ne reconnaissait plus les rues alentour : la voiture ne se dirigeait de toute évidence pas vers Grafton House, et la jeune fille savait qu'elle n'avait jamais encore mis les pieds dans le quartier qu'ils traversaient maintenant.

— Monsieur ! dit-elle en se penchant vers le cocher. Peut-être m'avez-vous mal comprise, mais je vais à Grafton House. Vous connaissez l'adresse, n'est-ce pas ? Il me semble que ce n'est pas du tout la bonne direction.

Pour toute réponse le cocher fit claquer son fouet et mit brusquement le cheval au galop.

La secousse projeta Julia brutalement en arrière contre le coussin de cuir. *Juste ciel ! Que se passait-il donc ? Le conducteur était-il ivre ? Voilà qui serait le bouquet, vraiment !*

— Monsieur ! cria-t-elle en voyant défiler à toute allure des rangées de bâtiments inconnus, de plus en plus misérables et délabrés. Monsieur ! Vous devez faire erreur ! Je vous ai dit Grafton House ! Grafton House !

Il fit la sourde oreille.

Julia commençait à se sentir un peu effrayée. Où l'emmenait-il, et pourquoi ? Une histoire, que Martine lui avait racontée, lui revint à l'esprit : un homme qui avait perdu sa femme en était si malheureux qu'un jour, ayant par hasard rencontré une jeune fille ressemblant à la défunte, il l'avait enlevée et ramenée chez lui de force, et il lui donnait à tout bout de champ des ordres, comme s'il s'était agi de sa véritable épouse ; la malheureuse avait finalement réussi à prendre le large, mais non sans avoir été contrainte – humiliation suprême – à laver tout son linge.

Julia ne voulait pas faire la lessive pour ce cocher, ni pour personne d'autre, du reste. L'idée même lui en était odieuse !

Les maisons qu'ils laissaient derrière eux devenaient toujours plus sordides, et elle se demanda si l'homme ne nourrissait pas des desseins plus sombres encore que de la réduire à semblable servitude domestique.

Elle se pencha donc en avant – ce qui n'était pas simple, étant donné la vitesse à laquelle la voiture dévalait les rues – et, en désespoir de cause, enfonça fermement un doigt dans chacun de ses yeux.

Cette courageuse initiative n'eut pas l'effet escompté : loin de hurler de douleur et de tirer sur les rênes, ce qui aurait forcé le fiacre à s'arrêter et donné une chance à Julia de s'enfuir, le conducteur tendit le bras avec un juron, et, lui plaquant sans ménagements une main sur le visage, la repoussa tout au fond de son siège.

— Si vous refaites ça, grogna-t-il avec hargne, j'vous attache et j'vous bâillonne, vous êtes prévenue !

Ce n'était pas là une perspective des plus réjouissantes.

Julia resta immobile sur sa banquette, sans même se soucier de son bonnet, pourtant irrémédiablement froissé, ni de son réticule égaré. *On est en train de m'enlever ! Moi ! En plein jour !* se disait-elle seulement, stupéfaite.

Elle pensa appeler au secours, mais se ravisa en pensant aux menaces que venait de proférer son ravisseur : elle ne voulait surtout pas qu'il lui enfonce dans la bouche une quelconque pièce de linge douteuse, d'autant qu'à en juger par l'odeur nauséabonde qu'exhalait la paume de sa main, ses hardes ne pouvaient qu'empester. Selon toutes probabilités, il ne possédait pas, ou tout du moins n'avait pas sur lui, de mouchoir propre. Il comptait sans doute, pour la réduire au silence, sur un répugnant bout de chiffon, et ça, non, elle ne le souffrirait pas !

En outre, songea-t-elle en contemplant sombrement la rue étroite et tortueuse qu'ils descendaient, même s'il lui en laissait le temps, il y avait bien peu de chances pour que l'on vienne à son aide, dans ce quartier : les rares personnes dans les parages semblaient aussi minables que le décor alentour. Elle n'était de toute évidence plus à Mayfair, où il suffit qu'une femme pousse un cri pour que surgisse, sinon un constable, du moins une bonne demi-douzaine de valets de pied de belle carrure. Un appel, ici, risquait plutôt d'attirer une foule de badauds, curieux d'assister au spectacle du meurtre d'une jeune personne de condition.

Quant à sauter en marche, à quitter le véhicule d'un bond acrobatique pour recouvrer sa liberté, c'était, en admettant qu'elle ne soit ni piétinée à mort par les sabots du cheval ni coupée en deux par les roues de la voiture, l'assurance de se fracasser le crâne sur les pavés.

Elle ne devait pas non plus, réfléchit-elle, compter sur ses amis pour venir la sauver : personne ne savait où elle se trouvait. Sir Hugh, ne la voyant pas arriver au lieu de rendez-vous, s'en inquiéterait sans doute, et irait alors se renseigner chez les Sheridan, mais elle doutait maintenant qu'il soit l'auteur du message qu'elle avait reçu ; après tout, elle ne connaissait pas l'écriture du fiancé d'Eleanor, et forger une fausse lettre ne présentait aucune difficulté !

Mais qui aurait rédigé cette missive, si ce n'est Sir Hugh ?

La réponse n'allait pas tarder à venir : le cocher immobilisa brusquement son attelage, et Julia, déséquilibrée, fut projetée par le choc sur le plancher couvert d'empreintes boueuses qui témoignaient du nombre respectable de pieds l'ayant foulé dans un passé récent. Elle se redressa maladroitement, cherchant à profiter de l'occasion pour s'éclipser...

Son ravisseur semblait s'y attendre et ne lui en laissa pas le loisir. En un éclair il l'avait empoignée et extraite sans ménagements du fiacre, comme s'il ne s'agissait que d'un vulgaire sac de pommes de terre.

— Lâchez-moi ! Lâchez-moi donc ! hurla la jeune fille sans se laisser intimider, quoique d'une voix assez mal assurée. Comment osez-vous porter la main sur moi ! Je vous ferai emprisonner, vous me le payerez, vous verrez !

Mais l'homme, imperturbable, l'entraînait maintenant de force vers la bâtisse basse et laide devant laquelle il avait arrêté son véhicule. Julia n'eut que le temps de jeter un bref regard autour d'elle et de constater, non sans surprise, qu'elle devait se trouver près de la mer – des mouettes étaient perchées çà et là sur des barriques, des mâts apparaissaient derrière les murs des constructions, l'air sentait l'iode et une petite brise froide et salée lui fouettait les joues – avant qu'il ne la propulse jusqu'à une petite porte et ne la fasse entrer, d'une vive poussée dans le dos.

La jeune fille, éblouie par la clarté du dehors, ne put tout d'abord rien distinguer de la pièce dans laquelle elle se trouvait, mais ses yeux ne tardèrent pas à s'accoutumer à la pénombre et elle fut alors confrontée à un tout autre spectacle que celui – qu'elle attendait presque – des neuf marmots du cocher entourés de grandes piles de linge sale.

Derrière une petite table de bois brut, sur laquelle des mains grassouillettes tourmentaient une canne à pommeau d'argent, lui souriait – familier, sinon bienvenu – le visage de quelqu'un qu'elle ne connaissait que trop.

— Bonjour, Julia ! dit Lord Farelly.

16

— Vous ! s'exclama Julia.

— Eh oui, comme vous dites ! répondit-il affablement. Je vous sais infiniment gré d'avoir accepté de nous rejoindre, et je vous présente toutes mes excuses pour l'ignoble procédé dont il a fallu user pour vous amener ici, mais vous comprendrez sans peine que nous n'avons pas cru qu'une simple invitation puisse y suffire.

— Une tête de mule, énonça une autre voix, derrière elle. Elle a toujours été une fichue tête de mule ! Son père tout craché !

Julia, clignant des yeux dans la clarté douteuse de la pièce, se retourna.

— Lord Renshaw, dit-elle en découvrant sans étonnement la silhouette tirée à quatre épingles de son tuteur. J'aurais dû m'en douter !

Le Rouspéteur repoussa sa chaise et se leva.

— Effectivement ! Comme vous auriez dû vous douter que tout cet argent, dilapidé dans votre éducation, soi-disant raffinée, ne vous rapporterait finalement pas grand-chose ; nous aurions tout aussi bien pu le jeter par les fenêtres, n'est-ce pas ?

Elle distinguait maintenant autour d'elle ce qui semblait être la grande salle d'une taverne désaffectée. Sur l'un des côtés courait un long comptoir, surmonté d'un miroir gauchi et poussiéreux ; de l'autre, un escalier branlant menait à l'étage. Autour des tables crasseuses de l'estaminet avaient pris place divers individus que Julia ne connaissait que trop bien : outre Lord Farelly et Lord Renshaw, Lord Sebastian était également là, allongeant avec nonchalance et un air de contentement satisfait ses longues jambes.

Et, tout au fond, elle découvrit quelqu'un qu'elle ne se serait jamais attendue à rencontrer dans pareil lieu.

— Harold ! s'écria-t-elle, estomaquée. *Vous*, Harold ! Comment avez-vous *pu* ?

Le Mollusque paraissait accablé, mais Julia n'aurait su dire s'il fallait voir là l'effet des circonstances présentes, ou de ce repoussant gilet vermillon, qui tranchait férocement sous son habit bleu pastel.

— J-j-e suis désolé, Julia, bredouilla-t-il en se recroquevillant sur son siège. Horriblement désolé, j'ai pourtant cherché à vous prévenir...

— Oui, et je dois dire, déclara Lord Farelly en se levant à son tour, ce qui étira sur sa respectable bedaine son propre gilet au délicat motif panaché rose et vert, je dois dire que nous ne sommes pas particulièrement reconnaissants de votre initiative, monsieur Blenkenship, même si, par bonheur, elle n'a pas entraîné de conséquences néfastes !

Le Mollusque suffoquant, au bord des larmes, jaillit si brusquement de sa chaise qu'elle bascula en arrière et tomba à grand fracas. Son visage rond et falot luisait dans la pénombre d'une clarté lunaire.

— Des brutes ! D'infâmes fripouilles ! explosa-t-il. Voilà ce que vous êtes, tous ! De répugnantes, de monstrueuses crapules, rien d'autre !

— La ferme, Harold, bon sang ! lui intima le Rouspéteur de derrière le mouchoir qu'il venait de déployer sur son nez. Et arrête de gigoter comme ça, tu remues toutes sortes de poussières ! Cet établissement est tenu d'une façon scandaleuse, Farelly ! Son propriétaire mériterait d'être passé par les armes ! Jamais encore vu ça, un air parfaitement irrespirable...

— Et cette guinée que vous m'avez promise ? interrompit le cocher d'une voix éraillée.

— Ne vous inquiétez pas pour ça, mon brave, lui répondit Lord Farelly. Vous l'aurez en temps voulu. Pour l'instant, contentez-vous de faire en sorte que nous ne soyons pas dérangés !

L'homme ouvrit la porte avec un grognement – un rayon de soleil pénétra brièvement dans la pièce – puis la claqua derrière lui, soulevant des nuées de particules tourbillonnantes qui déclenchèrent chez le Rouspéteur une nouvelle quinte de toux.

— Une guinée ? Julia fusilla bravement Lord Farelly des yeux. C'est tout ce que ça vous a coûté, pour me faire venir ici ? *Une guinée* ?

— Je ne suis pas homme à laisser passer une bonne affaire quand elle se présente, dit-il en s'appuyant légèrement sur sa canne. Vous ne sauriez m'en tenir rigueur, Miss Sparks : le sens de l'économie n'est-il pas d'ordinaire considéré à l'égal d'une vertu ?

Julia eut un reniflement de mépris. Madame n'aurait pas approuvé, mais même elle aurait sans doute concédé que l'étiquette ne s'applique plus si strictement, en cas d'enlèvement.

— Indubitablement, ironisa-t-elle, et c'est tout à votre honneur, milord !

Lord Sebastian s'étira longuement et se remit sur pieds.

— Ne pourrait-on pas régler cette affaire immédiatement ? demanda-t-il de sa voix un peu traînante. Je dois voir quelqu'un pour un cheval.

— Encore ?

Le Rouspéteur, abaissant son mouchoir, le fixa d'un œil désapprobateur.

— N'en avez-vous pas acquis un pas plus tard que le mois dernier ?

Le vicomte lui lança un regard dégoûté.

— Un homme peut-il avoir trop de chevaux ?

— À vrai dire, oui, dit le Rouspéteur. Selon moi...

— Assez !

Lord Farelly attrapa une chaise par le dossier.

— Il me semble que nous oublions tous les bonnes manières : après tout, il y a une dame ici ! Miss Sparks, ma chère, veuillez donc vous asseoir !

— Inutile, répondit-elle en croisant posément les bras. Je préfère rester debout.

— *Asseyez-vous !* tonna-t-il.

Un nuage de poussière se détacha des lourdes poutres de chêne noirci du plafond et se déposa lentement sur leurs têtes.

Julia, le cœur battant à tout rompre, se hâta d'obtempérer. Elle venait d'entrevoir l'affreuse possibilité de ne pas vivre jusqu'au soir.

— À la bonne heure ! reprit aussitôt de sa voix ordinaire le comte, avec un sourire non moins aimable que quelques jours auparavant, devant le M'attrape-qui-peut. Un petit rafraîchissement, peut-être ? Je crains que nous ne soyons à court de thé, mais je pourrais vous dénicher un verre de bière...

— Je vous remercie, dit-elle d'un ton soumis, mais je vous assure que je n'ai pas soif.

— Parfait, dans ce cas ! Parfait !

Tirant à lui une autre chaise, le comte la fit pivoter, s'installa à califourchon, coudes sur le dossier, et contempla benoîtement la jeune fille.

Mais elle savait à présent qu'il ne fallait pas s'y fier.

— Comme vous l'avez nul doute compris, Miss Sparks, nous sommes confrontés à une petite difficulté. Je dois tout d'abord vous dire que je suis associé à la firme Stockton & Darlington. La connaissez-vous ?

Julia jugea prudent de ne pas lui révéler que,

pour avoir fouillé ses tiroirs et lu sa correspondance, elle n'en ignorait rien.

— Non, milord, dit-elle en écarquillant les yeux d'un air innocent.

Lord Farelly ne sembla pas mettre sa parole en doute.

— Non, bien sûr que non ! Comment en auriez-vous entendu parler ? Notre entreprise produit de la houille, et notre objectif est de faire en sorte que tous les habitants de ce pays – et, par la suite, du monde entier – puissent bénéficier des bienfaits qu'elle apporte. Une noble cause, comme vous en conviendrez sans peine, n'est-ce pas ?

Julia jeta un bref coup d'œil à son tuteur, le vit fort occupé à inspecter le contenu de ses narines et, comprenant qu'il n'y avait aucune aide à espérer de ce côté-là, fit un signe d'assentiment.

— Le problème, poursuivit le comte, est qu'il nous faut maintenant trouver un meilleur système pour acheminer le produit jusqu'à nos clients. Nous utilisions ces dernières années des chevaux, mais, au-delà d'une certaine quantité de marchandise, Miss Sparks, un cheval finit toujours par se fatiguer... au point où même le fouet ne le fait plus avancer. C'est pourquoi nous avons opté pour un mode de livraison tout à fait révolutionnaire, pour une nouvelle machine qui, du reste, ne vous est pas inconnue. Je crois me souvenir que vous l'avez même essayée.

Julia sentait peser sur elle les regards conjugués du Rouspéteur et de Lord Sebastian. Elle hocha prudemment la tête. Seul le Mollusque, avachi contre le bar, la tête sur les bras, restait indifférent à tout. *Merci, Harold, espèce de minable poule mouillée,* pensa-t-elle à part soi. *Merci beaucoup, vraiment...*

Mais Lord Farelly attendait de toute évidence une réponse.

— Le M'attrape-qui-peut, murmura-t-elle docilement.

— Exactement, approuva le comte de l'air réjoui du professeur face à une élève particulièrement douée. Le M'attrape-qui-peut, Miss Sparks, que j'ai tenu à vous faire connaître, dans l'espoir qu'il déclencherait en vous cet enthousiasme – cette passion, devrais-je dire – que j'éprouve pour les trains : car ce sont les locomotives qui, selon moi, tracent la voie du futur, mais vous m'avez déjà entendu le dire...

Il fit une pause.

— Oui, certainement, se hâta-t-elle d'opiner.

— Je cherchais, Miss Sparks, poursuivit Lord Farelly, à planter dans votre esprit une graine, le germe de ce que j'aime à appeler le progrès. L'industrie, Miss Sparks, représente le progrès, ce progrès sans lequel l'humanité ne saurait que stagner ! Et, en ce qui concerne le charbon, le progrès est à rechercher dans un meilleur acheminement de la marchandise : une locomotive permet d'en transporter des quantités bien plus importantes que les véhicules hippomobiles ne pourront jamais le faire. Commencez-vous à voir où je veux en venir, Miss Sparks ?

Julia acquiesça distraitement. Elle se demandait si le cocher était toujours en faction derrière la porte. Devait-elle essayer de prendre ses ravisseurs par surprise en fonçant vers la sortie, et, dans ce cas, Lord Farelly ou son fils tenteraient-ils de l'arrêter ? Le Rouspéteur, lui, serait bien incapable de la rattraper, mais à quoi bon, si l'affreux personnage lui barrait la route ? Ou peut-être le bâtiment avait-il une autre issue...

— ...or il se trouve, disait maintenant le comte, que votre maison natale, l'Abbaye de Beckwell, est située au beau milieu du tracé de la voie la plus directe prévue pour nos livraisons. Je caressais l'espoir, Miss Sparks, qu'aussi impressionnée que je ne le suis par les extraordinaires possibilités que nous apportent ces splendides machines d'acier, vous admettriez que certains sacrifices doivent être, au nom du progrès, consentis de grand cœur. Stockton & Darlington vous ont proposé ce que je considère une somme plus que généreuse pour la propriété, que d'ailleurs – si mes informations sont exactes – aucun des vôtres n'habite. Mais je peux concevoir qu'une orpheline de père et mère s'attache à son foyer, si humble soit-il, et tienne à le conserver, comme une sorte de... souvenir de famille..., et c'est la raison pour laquelle, voyez-vous, je vous ai offert, Miss Sparks, une place sous mon propre toit, en guise de dédommagement en quelque sorte.

Lord Farelly indiqua de la main Lord Sebastian, accoudé au bar. Celui-ci la regardait fixement, de ses yeux qui n'évoquaient plus à présent le ciel bleu d'été, mais un froid de banquise.

— Mon fils acceptait bien volontiers de vous épouser et de faire de vous ma fille. Vous auriez enfin trouvé, outre un mari riche et séduisant, des parents et une sœur pour vous aimer. Vous seriez devenue vicomtesse, et auriez porté les robes et les parures qui accompagnent ce titre. J'aurais été ravi de vous offrir la moindre chose que vous auriez pu désirer, Miss Sparks, et tout cela, en échange d'une maison, d'une masure dont vous n'avez pas l'usage, et qui ne vaut pas la moitié de ce que l'on vous en aurait donné !

Son ton se fit brusquement bien moins plaisant.

— Et vous, qu'avez-vous fait ? s'indigna-t-il en plissant méchamment les paupières. Comment avez-vous répondu à une offre si généreuse ? En coupant court, de façon aussi abrupte qu'incompréhensible, à vos fiançailles avec mon fils et en désertant mon foyer, sans même un mot d'explication ni de remerciement ! (Il pointa sur la jeune fille un index accusateur.) Vous nous avez ensuite, avec une obstination qui n'a d'égale que votre égoïsme, fermé votre porte, et, pis encore, vous vous êtes stupidement entêtée dans votre refus de nous vendre l'Abbaye !

Il abaissa le bras et poursuivit d'une voix moins forte, mais non moins menaçante.

— Vous avez commis là une erreur, Miss Sparks, une très grave erreur. Personne ne doit entraver la marche du progrès, car cela équivaudrait à trahir, non l'amitié ou la confiance, mais la patrie elle-même, l'Empire ! À faire obstacle à sa modernisation, à lui interdire de devenir ce qu'il se doit d'être ! Est-ce là vraiment ce que vous souhaitez, en bonne et loyale citoyenne, Miss Sparks ?

Julia médita un instant la question, puis secoua la tête. Il lui semblait assez malavisé d'objecter, à ce point précis de la tirade du comte, et elle fut soulagée de voir Lord Farelly prendre un air plus satisfait et lui sourire cordialement, exactement comme avant, lorsqu'elle vivait sous son toit.

Sauf que, disait-on, les crocodiles eux aussi sourient... juste avant d'attaquer.

— N'est-ce pas ? approuva-t-il, rayonnant. Je vous avais bien dit, Norbert, qu'elle finirait par entendre raison ! Vous n'avez tout simplement pas su lui exposer les faits aussi clairement que moi. À présent, Miss Sparks, il est temps de régler ce léger malentendu, de sorte que chacun puisse regagner ses pénates et oublier définitivement tous ces désagréments. (Le comte tira de la poche de son gilet une liasse de papiers.) Je vais simplement vous demander quelques signatures, et...

Julia était prête à coopérer... jusqu'à un certain point.

— Non, articula-t-elle dans un filet de voix.

Lord Farelly releva soudain la tête.

— Plaît-il ?

— Je vous dis... (Sa gorge était toute sèche, elle regrettait maintenant d'avoir refusé la bière qu'il lui avait proposée. Elle avala difficilement sa salive avant de poursuivre.) ...je vous dis que non, je ne vendrai pas ! Et vous ne pouvez m'y contraindre ! ne put-elle s'empêcher d'ajouter, tout en sachant très bien que cela ne ferait qu'aggraver sa situation.

Lord Farelly la dévisagea exactement comme il l'aurait fait d'une pierre ou d'un quelconque objet inanimé qui se serait soudain mis à parler. De l'autre côté de la salle, le Rouspéteur maugréa et leva des yeux implorants vers les poutres du plafond. Lord Sebastian lui-même retint son souffle et secoua le chef, tandis que le Mollusque, affalé sur le comptoir, enfouit avec un gémissement lamentable plus profondément encore sa tête dans ses bras.

Lord Farelly cilla.

— Je crains... de ne pas vous avoir... bien comprise, insista-t-il en détachant les mots.

Julia était terrifiée, mais sa colère l'emporta sur sa peur.

— Si, déclara-t-elle sèchement. Vous avez parfaitement entendu. J'ai dit non ! Jamais je ne vendrai l'Abbaye de Beckwell, et, s'il me fallait un jour m'en dessaisir, sachez, Lord Farelly, que vous seriez la dernière personne sur terre à qui je la céderais ! Comment osez-vous me soutenir qu'il est contraire aux intérêts de la patrie de ne pas vous obéir ! Je vais vous apprendre, moi, ce qui est indigne d'un vrai patriote : c'est de persécuter comme vous le faites une orpheline sans défense ! Voilà qui est véritablement criminel ! Et les gens comme vous, on devrait les enfermer !

Le comte se releva si brusquement que sa chaise culbuta et il se précipita sur la jeune fille, le bras levé. Le Rouspéteur laissa échapper un petit cri plaintif et se couvrit les yeux. Le Mollusque, qui n'avait pas relevé la tête et ne suivait donc pas ce qui se passait, resta sans réaction, inerte. Toujours appuyé au bar, Lord Sebastian, lui, eut un large sourire.

— Ce coup-ci, Julia, ça y est ! Vous avez passé toutes les bornes !

La jeune fille ne flancha pas. Elle leva les yeux sur Lord Farelly. De vilaines marbrures vineuses veinaient le visage blême de rage du comte.

— Allez-y, n'hésitez pas, frappez-moi, puisque vous n'en êtes plus à une scélératesse près !

Bien loin en vérité de se sentir aussi brave qu'elle cherchait à le paraître, elle songeait, la mort dans l'âme, que ses jambes, à supposer qu'on l'autorise un jour à quitter cette chaise, ne la soutiendraient sans doute plus. Elle n'en garda pas moins le menton relevé d'un air de défi et les sourcils froncés, dans l'attitude qu'il convenait, selon elle, d'adopter face aux brutes et aux tyrans comme cet ignoble comte de Farelly.

Un je-ne-sais-quoi dans son expression dut

atteindre chez Lord Farelly une petite zone de cervelle encore capable de conduite civilisée : lentement – bien trop lentement, au goût de Julia – la main du comte s'abaissa, mais son regard de braise ne la lâchait pas.

— On devrait les enfermer, dites-vous ? reprit-il, brisant le lourd silence qui avait envahi la pièce.

Julia resta impassible. Lady Jane Grey n'avait, son heure venue, rien perdu de sa superbe, pensait-elle. La reine avait affronté son bourreau dignement... allant jusqu'à dégrafer elle-même sa collerette de dentelle avant de poser la tête sur le billot[1]. Julia, elle, n'entendait pas se montrer si coopérative, loin s'en faut.

— Parfaitement, et je ne vous souhaite rien d'autre que de croupir dans un cul-de-basse-fosse ! cracha-t-elle grossièrement.

Elle avait à peine fini sa phrase que Lord Farelly se ruait sur elle avec un grognement bestial et l'arrachait à sa chaise.

— Eh bien, puisque c'est comme ça, vous allez en tâter, vous, de la prison, et vous m'en direz des nouvelles ! hurla-t-il en la propulsant par le bras

---

1. Lady Jane Grey (1537-1554) régna sur l'Angleterre pendant neuf jours (du 10 au 19 juillet 1553), avant d'être renversée par les partisans de Marie Tudor et exécutée à la Tour de Londres.

vers l'escalier. Montez, Miss Sparks ! Vous aurez là tout le loisir de méditer sur votre conduite et de vous amender !

D'une grande poussée dans le dos, il lui fit gravir la volée de marches et la projeta brutalement dans une pièce minuscule du premier étage avant de claquer violemment la porte derrière elle. La dernière chose que la jeune fille perçut fut le grincement d'une clef dans la serrure.

Et Julia resta seule.

Beau Lochinvar, fleur de chevalerie,
Qui ne rendit hommage à ta valeur ?
Qui n'envia le sort de ton amie ?
Qui n'eût voulu te devoir le bonheur[1] ?

Allongée sur une étroite paillasse des plus inconfortables, Julia contemplait les poutres noyées d'ombre de la mansarde au-dessus de sa tête : le réduit ne comportait qu'une seule petite fenêtre, condamnée par quelques planches grossièrement clouées.

Elle continuait pourtant à scruter le plafond,

---

1. Walter Scott, *Marmion*, chant cinquième. Traduction de M. Defauconpret, Furne libraire-éditeur, Paris, 1995.

cherchant à discerner la forme des pièces de bois contre le fond noirci de la toiture.

> *Il a volé sur son coursier rapide,*
> *Des ennemis il a percé les rangs,*
> *Gravi les monts et franchi les torrents ;*
> *Honneur, amour, à l'amant intrépide !*

La voix de la jeune fille lui revenait, curieusement assourdie, dans le silence, et tout enrouée d'avoir tant appelé, tant crié et pleuré ; ses mains étaient à vif à force d'avoir tambouriné des poings contre la porte close, et le cuir de ses bottines éraflé de l'avoir martelée de ses pieds. Elle commençait à réaliser qu'elle était bel et bien prise au piège.

Mais son esprit, se disait-elle, restait et resterait toujours libre, lui, et elle avait donc décidé de l'exercer en récitant de mémoire tous les poèmes qu'elle connaissait.

> *De Netherby le gothique manoir*
> *Frappe sa vue au retour de l'aurore ;*
> *Son cœur bondit ! C'est son Eléonore*
> *Que le guerrier aujourd'hui vient revoir.*

Oui, et elle aussi, tout comme Eléonore dans

son gothique manoir, se retrouvait enfermée dans une affreuse geôle. Mais où donc était passé son Lochinvar ?

Nulle part. Julia n'avait aucune aide à attendre de personne : d'une part il était peu probable que l'on ait déjà remarqué sa disparition, de l'autre, l'aurait-on recherchée que cela n'y aurait rien changé, dans la mesure où personne ne devinerait où elle se trouvait. Et elle ne pouvait s'en prendre qu'à elle-même et à sa propre bêtise ! Comment avait-elle été assez stupide pour croire que le message qu'elle avait reçu provenait de Sir Hugh ! Elle aurait dû se douter qu'un gentleman tel que lui n'irait jamais offrir un châle à sa bien-aimée, pas quand il savait pertinemment que le présent risquait de contrarier sa future belle-mère !

Elle avait agi en véritable idiote, et voyez où ça l'avait menée : dans cet obscur grenier, où elle séjournerait probablement jusqu'à ce que ses chairs se dessèchent et ses os blanchissent, sans le moindre espoir de voir surgir à sa rescousse un quelconque preux chevalier – ni qui que ce soit d'autre, du reste.

Elle entendit une clef tourner dans la serrure.

Julia releva la tête. La porte s'entrouvrit et la jeune fille leva aussitôt la main devant ses yeux :

accoutumée à la pénombre du grenier, une bougie avait suffi à l'éblouir.

— Eh bien, Julia, vous voilà donc, si je ne me trompe, dans une assez mauvaise passe !

Non, personne ne volait à son secours. Ce n'était que l'un de ses geôliers, et plus précisément son tuteur.

Julia ne se sentait pas d'humeur à lui parler ; elle se retourna sur son grabat et fixa obstinément le mur en silence. Le Rouspéteur ne parut pas s'en émouvoir.

— Je vois, on me boude maintenant, c'est bien ça ? Une réaction bien compréhensible, je suppose, mais vous devez pourtant avoir compris à présent, Julia, que nous ne... plaisantons pas, le comte et moi. Rien de plus simple que de vous garder ici enfermée pour toujours, vous savez ! Allons, réfléchissez un peu, ne feriez-vous pas mieux de vous montrer plus conciliante et de nous donner ce que nous voulons ? Vous vous épargneriez nombre de désagréments, au bout du compte !

— Non, non et non ! articula, les dents serrées, la jeune fille à l'adresse du mur.

Le Rouspéteur eut l'air légèrement déçu.

— Ah ! Je craignais fort que vous ne réagissiez ainsi. J'ai pourtant bien dit à Farelly que vous n'aviez pas encore macéré assez longtemps ! Le comte ne vous connaît pas aussi bien que moi, il semblait croire, voyez-vous, que quelques heures de pénitence suffiraient à vous faire entendre raison : il est habitué à sa propre fille, un modèle de féminité ! Pas comme vous, Julia, pas comme vous, loin de là, ce que je ne peux que déplorer, mais je n'ignore pas qu'il en faut bien plus pour convaincre une tête de mule de votre espèce. Nous allons donc être malheureusement contraints de mettre en œuvre le plan numéro deux de Lord Farelly.

Julia pivota sur elle-même et se redressa si brusquement qu'elle faillit se cogner la tête contre les poutres basses.

— Je le savais ! s'écria-t-elle, les yeux étincelants. Je savais, espèce de brute sanguinaire, que vous projetiez de m'assassiner ! Tuez-moi donc, dans ce cas, mais faites-le vite ! Que mon fantôme vienne au plus tôt vous tourmenter, vous harceler jusqu'à vous rendre fou et vous précipiter à votre tour dans le tombeau !

— Vous tuer ? Fi donc ! dit Lord Renshaw avec une moue de répugnance. Toute petite déjà, vous aviez des idées si extravagantes ! Personne ne vous tuera, Julia, à moins, bien entendu, que cela ne se révèle absolument nécessaire, en cas de légitime défense, par exemple. Et je vous assure que votre attitude menaçante à mon égard m'a parfois fait craindre que nous en soyons un jour réduits à cette extrémité ! Non, je parlais de tout autre chose... même s'il faut admettre que votre disparition nous simplifierait considérablement l'existence.

— Quoi, alors ? aboya-t-elle. La torture ? Vous comptez m'enfoncer des aiguilles chauffées à blanc sous les ongles jusqu'à ce que j'accepte de vous vendre l'Abbaye ?

Le Rouspéteur cligna des paupières, déconcerté.

— Ou la faim, peut-être ? Miner ma volonté en me refusant toute nourriture et toute boisson, c'est ça que vous avez prévu ? Dans ce cas, désolée de vous décevoir, mais ça ne marchera pas ! Jamais je ne céderai, jamais !

Le Rouspéteur fronça les sourcils.

— Bonté divine, comme l'imagination des jeunes est aujourd'hui morbide ! Personne ne s'apprête à enfoncer d'aiguilles nulle part, vous lisez trop de romans, ma chère enfant ! Et quant à vous affamer, libre à vous, bien sûr, de le faire, mais sachez que j'ai pris la peine de vous commander un repas, et vous m'offenseriez en refusant ne serait-ce que d'y goûter. Ce n'est pas grand-chose, je le sais, mais...

Il alla à la porte et prit un plateau des mains d'un homme tapi dans l'ombre du couloir. Julia reconnut le conducteur du fiacre – si c'était bien là son véritable métier, ce dont elle commençait à douter : probablement était-il employé comme homme de main par Lord Farelly.

— ...ce devrait du moins être comestible.

Et il posa sur la petite table basse et branlante de la mansarde un quignon de pain, un morceau de fromage et une cruche de ce que la jeune fille supposa être de la bière.

— Voilà, dit-il non sans une certaine satisfaction. Je crois que je n'ai rien oublié. Il me faut maintenant vous quitter pour aller annoncer à Lord Farelly que vous... comment dirais-je... campez sur vos positions. Sans doute le comte aura-t-il certaines dispositions à prendre, étant donné les circonstances.

Sur ce le Rouspéteur se retira, emmenant le cocher, mais laissant la bougie.

Une fois rendue à la solitude de sa cellule, Julia passa en revue toutes les possibilités qui s'offraient à elle. Il n'y en avait guère : elle pouvait, de toute évidence, manger son dîner. Ou bien le garder, pour le lancer à la tête de la prochaine personne qui franchirait la porte.

La première solution lui parut la plus sage, dans la mesure où elle avait faim et soif. Du reste, qui sait combien de temps s'écoulerait avant qu'elle n'entende à nouveau quelqu'un tourner la clef dans la serrure ?

Julia déchira donc un morceau de pain, et, ne le découvrant pas trop rassis, disposa par-dessus un morceau de fromage et entreprit de se restaurer. Ce n'était, comme le lui avait annoncé le Rouspéteur, effectivement pas grand-chose, mais elle arrosa ce frugal repas de quelques gorgées de bière, qu'elle trouva bien meilleure qu'elle ne s'y attendait.

Une fois rassasiée, elle s'allongea à nouveau sur la paillasse et se remit à contempler les ombres mouvantes projetées par la flamme de la bougie sur le plafond.

— *Allons, qu'on garnisse le foyer,* déclara-t-elle à l'intention des poutres de chêne. *Le vent est froid, mais laissons-le souffler tout à son aise*[1].

La boisson avait rendu à sa voix une certaine assurance, elle récitait maintenant avec plus d'énergie.

---

1. *Marmion*, chant sixième.

— *Oses-tu braver le lion dans sa tanière ?* poursuivait-elle, lorsqu'elle la porte s'ouvrit à nouveau.

Le Mollusque se glissa dans la pièce.

— Harold, êtes-vous venu me libérer ? chuchota Julia en se redressant aussitôt.

Il posa un doigt sur ses lèvres.

— Je passe juste prendre de vos nouvelles, murmura-t-il.

— Si vous n'avez pas l'intention de me porter secours, nous n'avons plus rien à nous dire, déclara non sans humeur la jeune fille, déçue.

— Julia !

Le Mollusque avisa une vieille chaise délabrée dans un coin du réduit, la posa près du grabat et s'assit.

— Julia, je vous en prie, ne soyez pas comme ça ! Vous savez bien que je vous aiderais, si je le pouvais.

— Vraiment, Harold ? Eh bien non, je ne le sais pas ! Je crois plutôt, Harold, que vous êtes incapable de vous soucier de quoi que ce soit d'autre que de votre petite personne.

Il parut presque aussi choqué que ce fameux jour où elle avait introduit un petit serpent vert dans ses chausses.

— Non, Julia, je vous assure que c'est faux,

tout simplement faux ! Serais-je venu, dans ce cas ? Songez-y ! Mais vous devez comprendre qu'il vous est impossible de fuir. Cet affreux Grant est en bas et surveille la porte.

— Grant ? demanda Julia. Oh ! je suppose que vous parlez du cocher, continua-t-elle en s'allongeant à nouveau.

— Oui. C'est un colosse, Julia, et une vraie brute, par-dessus le marché. Même si j'arrivais à vous faire quitter discrètement cette pièce, il n'y a qu'une seule sortie, et c'est lui qui la garde !

— Vous n'avez bien sûr pas songé à aller chercher de l'aide.

Le Mollusque prit un air catastrophé.

— De l'aide, dites-vous ? Mais alors, Julia, tout le monde apprendrait...

— Apprendrait quoi ?

— Eh bien, dit-il tout honteux, ...que mon père est... un misérable monstre.

— Qu'est-ce que cela changerait, Harold ? Puisque vous m'avez dit vous-même que vous comptiez émigrer en Amérique.

— Oui, c'est vrai, admit-il. Mais une chose pareille... une telle chose colle aux basques d'un homme, et le poursuit jusqu'aux antipodes ! Honnêtement, je ne peux pas me le permettre, Julia. Vous comprenez, n'est-ce pas ?

Elle éclata d'un rire teinté d'amertume.

— Bien sûr, Harold, où avais-je donc la tête ? Comment un futur dessinateur de mode pourrait-il accepter de laisser courir le bruit que son père trucide d'innocentes jeunes filles...

— Mais il ne compte pas vous tuer, Julia, affirma calmement le Mollusque. Aucun d'eux n'a l'intention de vous faire du mal ! Ils veulent seulement vous obliger à épouser Lord Sebastian...

— *Quoi ?* s'écria la jeune fille en se redressant avec violence et en manquant à nouveau de se fracasser le crâne contre le plafond.

— Oui, rien de plus, dit Harold d'un air incertain. Lord Farelly s'est procuré une dispense spéciale et il est parti chercher un prêtre. Ils prévoient de vous marier ce soir, de façon à ensuite vendre l'Abbaye à votre place, puisque vous vous refusez à le faire.

— Mais ils ne le peuvent pas ! s'exclama-t-elle en se levant.

— Je crains fort que si, affirma-t-il piteusement. Vous n'avez pas encore l'âge requis, mais mon père étant votre tuteur, il suffit qu'il donne son accord. Dès que vous serez officiellement déclarés mari et femme, tout ce que vous possédez appartiendra à Lord Sebastian, qui aura alors parfaitement le droit, quoi que vous puissiez objecter, de disposer de vos biens à sa guise !

— Mais c'est... c'est... grotesque ! hurla la jeune fille en donnant un grand coup de pied à la table.

La cruche oscilla, et un restant de bière éclaboussa le plateau.

— Je ne le souffrirai pas, vous m'entendez, Harold ? Je refuserai de dire « oui », je vous le garantis !

Harold eut l'air soucieux. Ses sourcils sombres se froncèrent sur son visage blême.

— Je ne crois pas que cela fasse une très grande différence, avec ce prêtre-là, expliqua-t-il. C'est un grand ami de Père, un ancien camarade d'études, voyez-vous !

Julia poussa un cri étranglé, se pencha en avant et saisit le Mollusque effaré par le col de son paletot.

— Vous allez m'écouter maintenant, Harold, siffla-t-elle, et m'écouter attentivement ! Je veux que vous descendiez cet escalier et que vous sortiez d'ici sous un prétexte quelconque – inventez ce que vous voulez, peu importe. Vous irez tout droit à Mayfair où vous raconterez très exactement à Lord Sheridan tout ce qui se passe ici. C'est compris ?

Les lèvres boudeuses du Mollusque s'affaissèrent.

— M-m-mais...J-j-julia... !

— Non, Harold ! reprit-elle dans un chuchotement rauque. Non, pas cette fois-ci ! Pas question de biaiser, de tergiverser et de vous défiler comme d'habitude ! Pour une fois dans votre vie, vous allez montrer que vous avez du caractère et faire votre devoir. Sinon, Harold, je vous jure que, si j'en réchappe, j'irai directement trouver les journaux et je leur raconterai que c'est vous qui avez tramé toute cette machination, vous m'entendez ! On verra bien alors si l'histoire plaît à vos futurs clients en Amérique !

Une houle spasmodique agitait la mâchoire inférieure du Mollusque ; des gouttelettes d'une humeur aqueuse perlaient aux coins de ses petits yeux porcins : il allait fondre en larmes.

— B-b-bon... d'a-ac-ccord, Julia, bégaya-t-il enfin. J-j-je... je le ferai ! Seulement n'allez pas... s'il vous plaît, n'allez pas parler à la presse, je vous en supplie !

Julia le relâcha et fit un pas en arrière.

— Je n'irai pas, dit-elle... à moins que vous ne fassiez pas exactement ce que je vous demande.

— Je vous le promets ! haleta Harold, tou

jours frémissant, en se redressant un peu. Je vous jure de vous obéir, Julia.

Et le Mollusque, à demi pleurnichant, franchit non sans trébucher la porte et la referma doucement derrière lui avant de tourner la clef dans la serrure.

Julia resta debout, les yeux fixés sur le lourd panneau de bois, le cœur battant la chamade. Elle tremblait vraiment à présent, non seulement pour elle-même et sa propre existence, mais aussi pour celle des siens et de ceux qu'elle aimait : tout laissait en effet supposer que Lord Farelly était parvenu à ses fins, des fins lourdes de funestes conséquences pour Mamie et Puddy, pour les fermiers des terres de l'Abbaye et tous ceux qui en dépendaient.

Sauf... sauf si Harold trouvait en lui le courage de se comporter en homme. Un mince, bien mince espoir, mais un espoir tout de même.

Julia, elle, se sentait prête, aussi prête qu'elle ne le serait jamais, à affronter le pire.

— *Courage, Chester !* chuchota-t-elle férocement à l'adresse de la porte close. *Courage, Stanley ! Ce furent les derniers accents de Marmion.*

18

— Ah, ma pure promise !

Lord Sebastian avait ouvert la porte à toute volée et trouvé Julia sagement assise sur sa paillasse. Appuyé contre le chambranle, les bras croisés sur la poitrine, il l'observait avec intérêt.

— C'est de mauvais augure pour le marié, déclara la jeune fille, que de la voir avant les noces.

— De mauvais augure ! ricana-t-il.

Il courba un peu l'échine pour franchir le seuil sans se cogner et pénétra sans plus de façons dans la pièce.

— Ça y ressemble, en effet, et pour moi comme pour vous : épouser une femme qui déclare publiquement mépriser jusqu'au sol que je foule n'est pas la grande ambition de ma vie, sachez-le.

— Et ce n'est pas la mienne non plus, rétorqua-t-elle, que d'épouser un homme persuadé que tous devraient vénérer jusqu'au sol qu'il foule !

— Touché, dit-il avec un charmant sourire désabusé.

Comme il est beau, songea malgré elle Julia, *et quel dommage*, s'empressa-t-elle d'ajouter *in petto, qu'il en soit si conscient.*

— Que venez-vous faire ici, milord ? questionna-t-elle. Votre père et le prêtre sont-ils déjà de retour ?

— Non, pas encore, répondit-il affablement en se penchant pour déchirer un morceau de la miche. J'ai juste pensé qu'il valait mieux que je vienne régler certains détails avec vous avant... la cérémonie.

— Vraiment ? C'est fort aimable à vous, dit-elle avec indifférence.

— Vous changerez sans doute d'avis quand vous aurez entendu ce que j'ai à vous dire.

Lord Sebastian mit le pain dans sa bouche, mastiqua un instant et avala avant de poursuivre en se léchant les doigts.

— J'y vais. Premièrement : cette histoire ne

m'emballe pas plus que vous, Miss Sparks, et je n'ai pas la moindre intention de vivre avec vous comme mari et femme. Je tiens tout d'abord à vous rassurer sur ce point.

— Oh ! dit-elle poliment.

— Oui. Je compte prendre un appartement à mon club. Vous demeurerez avec Maman et Honoria. Je suis sûr qu'elles apprécieront votre compagnie bien plus que je ne saurais le faire. Tout cet interminable galimatias sur la poésie ! (Il leva théâtralement ses magnifiques yeux bleus en direction des poutres de la mansarde.) J'ai bien cru par moments que vous alliez me rendre fou avec ça !

— Vous m'en direz tant ! Mais continuez, je vous prie.

— Deuxièmement : vous aurez pour moi le respect et la courtoisie qu'une femme doit à son époux, et à ce titre, j'attends de votre part une obéissance totale. Vous suivrez mes recommandations à la lettre, sous peine de vous voir immédiatement enfermée à nouveau dans cette pièce.

— Je vois.

— Troisièmement (Lord Sebastian comptait sur ses doigts), vous soignerez votre toilette, de façon à être toujours impeccablement vêtue et agréable à regarder. Il n'est pas question d'essayer de me dégoûter en cessant de vous brosser les dents ou de vous laver les cheveux. Vous n'oublierez jamais que vous êtes vicomtesse, et vous agirez en conséquence.

— Certainement, approuva-t-elle.

— Quatrièmement : vous ne gaspillerez pas ma fortune en colifichets et fanfreluches. Il va sans dire qu'une certaine somme vous sera régulièrement allouée, vous ferez en sorte de ne pas dépenser plus. Suis-je bien clair ?

— Limpide, milord, opina Julia.

Lord Sebastian parut tout content de cette soudaine docilité.

— Cinquièmement : naturellement, pour ce qui est de ma descendance, vous me donnerez un héritier mâle dans l'année.

— La chose ne risque-t-elle pas d'être un tant soit peu délicate, interrogea la jeune fille suavement, dans la mesure où nous ne vivrons pas comme mari et femme ?

Lord Sebastian fronça les sourcils. Visiblement, il n'y avait pas songé.

— Il nous faudra donc avoir des relations plus intimes de temps à autre, admit-il. Peut-être déciderai-je de ne pas passer la nuit au club, le week-end.

— Voilà qui semble éminemment raisonnable, dit Julia.

L'approbation arracha un sourire au jeune homme qui, rassuré, saisit un morceau de fromage.

— Si vous tenez compte de toutes ces recommandations, dit-il en grignotant, et si vous m'épargnez autant que faire se peut vos bavardages, je pense que nous nous entendrons à merveille, Miss Sparks. Car vous êtes fort jolie, malgré tous vos défauts et, à dire vrai, je n'ai jamais considéré ce mariage comme une corvée. Je me faisais même un plaisir de vous épouser. Un homme apprécie un peu de stabilité dans sa vie, voyez-vous, et c'est un avantage indéniable de pouvoir rentrer le soir, après une longue journée passée sur les champs de courses ou à une table de jeu, dans une maison où l'attend une jolie jeune femme. Surveillez donc juste un peu votre langue et nous aurons de bonnes chances de trouver le bonheur. N'est-ce pas aussi votre avis ?

— Si vous le dites, milord ? répondit-elle, soumise.

— Eh bien, je dois admettre, Julia, reprit-il assez surpris, que vous vous montrez très coopérative. J'aurais demandé à Père de vous enfermer depuis longtemps, si j'avais soupçonné que cela aurait sur vous un effet aussi bénéfique ! Je gage que nous formerons un couple heureux, pas vous ?

— Sans doute, sourit-elle.

Lord Sebastian semblait extrêmement satisfait.

— Je suis ravi que nous ayons pu mener à bien cette petite conversation.

Il jeta un coup d'œil à la table.

— Ne vous a-t-on pas apporté de la bière tout à l'heure ?

— En désirez-vous un peu, milord ? lui demanda Julia, de la paillasse où elle était toujours assise.

— Oui, car ce fromage m'a donné soif.

— Permettez-moi, dans ce cas, dit la jeune fille en se levant, de vous servir en bonne épouse.

Sur ce, elle balança le bras derrière elle, le ramena brusquement en avant et asséna de toutes ses forces un grand coup de cruche sur la chevelure dorée d'Apollon.

L'objet se fracassa contre le crâne du vicomte, et des éclats de terre cuite volèrent dans toute la pièce, mais Julia ne le remarqua même pas. Elle ne quittait pas des yeux Lord Sebastian, qui, interdit, hébété, la bière dégouttant de ses mèches blondes jusqu'aux broderies au fil d'argent de son gilet de soie, semblait ne pas bien comprendre ce qui l'avait frappé.

— Oyez, milord, dit-elle, n'entendez-vous pas les cloches sonner ?

Il inclina la tête, ses yeux se révulsèrent, et il s'affaissa lentement. La jeune fille s'écarta juste à temps pour éviter d'amortir sa chute.

Une fois Apollon étendu, inconscient, sur le plancher, Julia put reprendre la tâche que son visiteur avait si grossièrement interrompue : à savoir démolir, à grands coups de pied, les planches qui bouchaient la lucarne du fond de la mansarde.

— Lord Sebastian ? Lord Sebastian ? Tout va bien, là-haut ? appela d'en bas le Rouspéteur, qui avait sans doute entendu le choc du corps contre le sol. Lord Sebastian, votre père et M. le prêtre sont ici ! Ils vous attendent. Ayez donc la bonté de nous amener la jeune fille, de sorte que nous puissions procéder à la cérémonie !

Redoublant d'efforts, Julia parvint enfin à détacher la dernière des pièces de bois, heureusement vieilles et rongées par les intempéries, qui se dressaient entre elle et la liberté.

— Je vous demande encore un petit instant, cria-t-elle pour gagner du temps, je finis de... de me coiffer !

Elle passa la tête et les épaules par la fenêtre, une fraîche brise marine lui caressa le visage...

...et elle découvrit un paysage de toits de bardeaux et de cheminées dressées vers un ciel piqueté d'étoiles. À une bonne dizaine de mètres en contrebas serpentait une ruelle étroite, déserte à cette heure tardive. Le port devait être tout près : des mâts de voiliers, tels de grands peupliers, se dressaient crânement derrière les toitures.

Pour la première fois de la journée, Julia envisagea l'avenir avec un soupçon d'optimisme.

— Hep ! Vous ! s'écria derrière elle la voix toute proche, *désagréablement proche*, de son tuteur. Où croyez-vous donc aller ? Et que... ? Juste ciel ! Qu'avez-vous fait au vicomte ?

Il n'était plus temps d'admirer le panorama, il fallait bouger, et vite ! Elle eut un peu de mal à faire passer ses hanches par la lucarne, mais réussit enfin, en se tortillant, à s'extraire presque entièrement de sa prison.

Presque seulement, car, alors que ses genoux râpaient encore contre le bois semé d'échardes, elle sentit une main de fer lui empoigner la cheville : Lord Renshaw ne manquait certes pas de poigne pour une personne d'apparence aussi débile.

— Revenez ! Revenez, vous dis-je ! criait-il en s'évertuant pour la tirer dans la pièce.

Mais Julia n'entendait pas renoncer de sitôt à sa toute nouvelle liberté. Elle se contorsionna comme une anguille et parvint, de quelques ruades judicieusement placées, à arracher son pied des griffes de son tuteur... son pied, mais pas sa bottine, qui resta aux mains de son poursuivant.

— Vous ! Vous là-bas ! appela-t-il en agitant ce trophée tandis que la fuyarde progressait sur les bardeaux – ce qui n'était pas simple étant donné que la plupart d'entre eux, à demi pourris, manifestaient une fâcheuse tendance à glisser sous ses pas et à dévaler la toiture pour s'écraser au sol. Revenez incontinent, petite ingrate !

Cependant Julia était arrivée, au risque de perdre l'équilibre chaque fois que l'une des pièces de bois se détachait, au terme de son dangereux périple : elle avait atteint à quelques mètres de là une cheminée de briques qu'elle enserra de ses bras avant de se tourner, le souffle court, vers Lord Renshaw, dont la silhouette se découpait sur le violet sombre du crépuscule.

— Pas question ! lui lança-t-elle, toujours haletante. Et vous ne pouvez m'y contraindre !

— Ah, vous croyez ? Eh bien c'est ce qu'on

verra, répondit-il en secouant la tête. Vous ne sauriez rester perchée là-haut éternellement, Julia. Tôt ou tard il va se mettre à pleuvoir... si vous ne perdez pas pied avant. Vous tomberez, Julia, vous vous fracasserez le crâne et vous en mourrez, stupide gamine que vous êtes !

— Je m'en fiche ! gronda-t-elle. Tant que je n'ai pas à épouser le vicomte, je me fiche !

— L'épouser ? s'indigna le Rouspéteur. Remerciez plutôt le ciel si vous ne l'avez pas tué ! Savez-vous, malheureuse, que le meurtre est un crime passible de pendaison ?

Julia songea alors que, si on l'exécutait pour avoir assassiné le vicomte, l'Abbaye de Beckwell échoirait à terme à son tuteur. Mais Lord Sebastian ne pouvait être mort, elle en était certaine : il respirait avec régularité la dernière fois qu'elle l'avait regardé. Après tout, il n'avait reçu qu'un coup de cruche ! Il en serait sans doute quitte pour une bonne migraine et ne trouverait même pas, en revenant à lui, d'éclats de poterie fichés dans son crâne : elle savait n'avoir réussi ni à érafler son splendide cuir chevelu, ni à entamer un tant soit peu sa divine tête d'éphèbe.

— Revenez, Julia Sparks ! Je vous ordonne de revenir ! s'époumonait le Rouspéteur, à qui l'air vespéral ne devait guère réussir car il s'interrompait tous les deux ou trois mots pour expectorer dans son mouchoir. Revenez immédiatement, avant de vous rompre les os !

— Non, dit Julia en s'asseyant sur les bardeaux d'autant plus traîtres qu'elle ne portait plus qu'une seule bottine.

Elle essaya d'ignorer les frissons qui la traversaient tout entière – bien que la température fût encore douce en ce début de soirée – et refusa de bouger. En réalité, elle n'était pas très sûre d'être en état de le faire, même si elle l'avait voulu. Coincée à une hauteur vertigineuse et sans appui fiable, il valait infiniment mieux, jugea-t-elle, s'abstenir de tout mouvement.

Une autre voix se joignit aux appels de son tuteur. Lord Farelly avait passé par la lucarne un visage empourpré de rage et fusillait en vociférant la jeune fille de regards courroucés.

— Je vous ferai mettre aux fers pour ce crime ! Si vous avez tué mon garçon, péronnelle...

Il l'aurait de toute évidence volontiers poursuivie jusque sur le toit, mais son embonpoint le lui interdisait.

— Il n'est pas mort, affirma Julia d'un ton dégoûté.

— Grant vient vous chercher ! Vous allez voir ce que vous allez voir ! menaçait le comte.

Mais Julia savait bien que le cocher ne réussirait pas plus que Lord Farelly à passer par la fenêtre, et que le Rouspéteur était le seul dont la stature lui aurait éventuellement permis de franchir l'étroite ouverture. Des voix s'élevaient du grenier, où le comte tentait de convaincre Lord Renshaw de s'y risquer.

— Non, je n'irai pas, pas question ! l'entendait-elle piailler. Vous avez bien vu ce qu'elle a fait à votre fils ! Cette furie n'hésiterait pas à saisir la première occasion pour me pousser à ma mort !

Un bruit de sabots sur les pavés monta soudain des étroites ruelles en contrebas. Quelqu'un approchait.

Et pas, semblait-il, une seule personne, mais bien plusieurs.

Julia se tordit le cou pour tâcher de voir au-delà de la cheminée à laquelle elle s'agrippait. La rue était plongée dans l'obscurité, mais la jeune fille estima qu'il devait s'agir d'au moins une demi-douzaine de cavaliers. Ces hommes avaient-ils affaire au port, ou venaient-ils, à l'appel de Harold, à sa rescousse ?

Non, rien n'était sans doute à espérer de ce côté-là : le Mollusque ne s'était probablement pas rendu à Mayfair. S'il avait pu s'éclipser – ce que Julia tendait à croire, dans la mesure où elle n'avait pas reconnu sa voix parmi celles qui lui étaient parvenues du grenier –, il s'était certainement empressé de rejoindre le navire sur lequel il comptait gagner l'Amérique. Pourquoi, après tout, se serait-il soucié d'une jeune fille qui n'avait pas pris de gants pour l'éconduire ?

Les cavaliers surgirent alors dans son champ de vision. Julia avait deviné juste, ils étaient bien six – et quatre d'entre eux portaient l'uniforme des constables de Bow Street !

— À l'aide ! hurla la jeune fille en se redressant, sans lâcher sa cheminée, sur les planches instables de la toiture. À moi ! Au secours ! Par ici, en haut !

Les nouveaux venus – elle ne distinguait pas encore leurs traits – immobilisaient leurs montures quand elle entendit un bruit derrière elle. Tournant la tête, elle fut horrifiée de voir Grant escalader à grand-peine le toit pour se diriger vers elle : le cocher devait avoir trouvé, sur l'autre aile de la maison, une lucarne plus grande par laquelle se faufiler.

Il approchait maintenant d'un pas lourd, le visage figé dans une expression menaçante, ignorant apparemment que la cavalerie était arrivée.

— Ne vous inquiétez pas, milord, lança-t-il à

Lord Farelly. Je m'en vais vous la cueillir et vous la ramener en un clin d'œil.

Il ouvrit largement les bras pour empêcher Julia de fuir et poursuivit à son adresse.

— Venez donc, mam'zelle ! J'vous ferai point de mal !

Elle n'en croyait pas un mot. Le dos toujours collé aux briques, elle s'écarta prestement et s'éloigna de lui autant que faire se peut sans perdre contact avec la cheminée.

— Vous feriez mieux de reculer, l'avertit-elle en entendant le bois gémir sous le poids de l'homme. Les planches sont mal fixées par ici, vous risquez une mauvaise chute !

Mais il persistait à avancer. Des bardeaux se détachaient sans cesse sous ses pieds, glissaient et s'écrasaient à grand fracas dans une courette attenante.

— J'y suis presque, dit-il en approchant plus encore, inconscient du danger dans lequel il les mettait tous deux. Donnez-moi la main, mam'zelle !

— Pas question ! répliqua Julia agrippée à sa cheminée.

— Donnez-moi votre main, crénom de ... ! Que j'vous redescende ! ordonna-t-il.

Il était tout près maintenant, et la jeune fille

comprit à son haleine qu'il avait sans doute passé tout le temps où elle était emprisonnée à goûter le contenu des nombreux tonnelets de bière de la taverne ; ses yeux rougis étaient troubles, et une forêt de poils courts et drus avait envahi son visage.

— Me redescendre ? s'esclaffa-t-elle amèrement. Vous voulez plutôt dire m'abattre, me précipiter à ma perte !

Ses mots sonnèrent comme un augure, et elle ne tarda pas à regretter sa désinvolture. Grant venait juste d'enjamber le faîtage quand elle vit ses yeux s'écarquiller d'horreur : toute une section de bardeaux cédait sous les pieds de l'homme, qui se mit à glisser, d'abord lentement – inexorablement, affreusement lentement – puis de plus en plus vite, le long de la pente du toit. Le malheureux tendit désespérément le bras et agrippa la première chose venue.

C'est-à-dire, le bas de la robe de Julia.

Mais la jeune fille n'avait pas la force de les retenir longtemps tous les deux : ses doigts relâchèrent un à un leur prise sur les briques de la cheminée, elle sentit qu'elle perdait pied elle aussi...

Tous deux dévalaient à présent la pente de conserve, toujours plus vite, comme engagés dans une étrange course. Puis le toit tout à coup s'effaça et Julia, projetée dans le vide, ne douta plus que sa dernière heure était venue...

19

...du moins jusqu'à l'atterrissage, que la jeune fille, qui ne souhaitait pas assister à sa propre fin, effectua les paupières obstinément closes.

Un grand choc lui coupa momentanément le souffle. Elle avait heurté une chose compacte – mais moins dure que le pavé – et par endroits bizarrement soyeuse. Elle constata, non sans surprise, qu'elle pouvait respirer. Preuve qu'elle n'était pas encore morte, n'est-ce pas ?

Elle entrouvrit alors prudemment un œil, redoutant à demi le spectacle d'une mare, sinon de son propre sang, du moins de celui du cocher, mais ne découvrit nul corps désarticulé.

Non, elle vit une oreille.

Une oreille d'homme, à demi masquée par une chevelure sombre.

Julia ouvrit l'autre œil : la tête qui portait cette oreille menait à un cou, ce cou à une paire de larges épaules revêtues de drap bleu, et le tout à un homme à cheval.

Ce dont elle déduisit qu'elle avait dû choir directement du toit dans les bras de cet individu à la carrure imposante.

Mais le voilà qui parlait. *Julia, Julia !* disait-il. Oui, c'était bien son nom qu'elle l'entendait répéter, et soudain la jeune fille, stupéfaite, le reconnut. Et comprit instantanément qu'elle l'aimait.

— Nat ! s'écria-t-elle en s'accrochant à son cou. Oh, Nat, Nat !

— Julia, ça va ?

Elle n'avait plus peur du tout à présent, et les battements de son cœur se calmaient peu à peu. Son ouïe fonctionnait, observa-t-elle, à merveille, et l'inquiétude qui perçait dans la voix du jeune homme lui procurait une intense satisfaction.

— Vous n'avez rien, Julia ? Ils ne vous ont pas fait de mal, au moins ?

— Non, non, se hâta-t-elle de le rassurer en se cramponnant de plus belle à son cou. Tout va bien !

— Vous tremblez !

Elle le sentit bouger et l'entourer d'un pan de son manteau.

— Avez-vous froid ?

— Ce n'est pas le froid, répondit-elle dans son épaule, je ris !

Elle riait, en effet, éblouie de soulagement. Tomber d'une telle hauteur, être convaincue que la chute ne saurait s'achever que sur sa mort, et se retrouver dans les bras de Nathaniel Sheridan : cela semblait tenir de bien plus que du simple miracle. C'était pour Julia, à cet instant précis, l'événement le plus prodigieux, le plus sublime de toute l'histoire du monde.

— Est-elle saine et sauve, Nat ? demanda une voix bien connue.

La jeune fille leva la tête. Du haut de sa propre monture, le père de Nathaniel la regardait avec une gentillesse soucieuse.

— Je me porte comme un charme, milord ! affirma-t-elle en pleurant de joie.

Lord Sheridan ne partageait pas sa bonne humeur.

— Ramène-la immédiatement à la maison, ordonna-t-il à son fils. Nous nous chargeons de faire place nette ici !

Julia détacha alors suffisamment son visage de l'épaule du jeune homme pour pouvoir détailler la scène qui se déroulait alentour. Grant le cocher s'était, lui aussi, tiré d'affaire, mais sa chute l'avait conduit, fondement en premier, droit dans un abreuvoir, où il se débattait en aspergeant copieusement les deux constables de Bow Street qui tentaient de le maîtriser, au grand amusement d'une foule de marins et de badauds.

De l'intérieur de la taverne – la Rose d'Or, à en croire l'enseigne vermoulue au-dessus de la porte – provenaient des bruits de bagarre. D'autres constables procédaient à l'arrestation de Lord Farelly et du Rouspéteur. *Lâchez-moi donc !* glapissait la voix de ce dernier. *Impudent ! Comment osez-vous porter la main sur moi ? Ne savez-vous pas que je suis baron ?*

Lord Sheridan sourcilla.

— Allez, rentrez ! dit-il à son fils avec un geste de la main. Raccompagne Julia en lieu sûr. N'aie crainte, nous nous occuperons de ces messieurs. Je vous verrai tous les deux plus tard !

C'est ainsi que Nathaniel, ayant salué son père de la tête, fit pivoter son cheval et entreprit la longue chevauchée pour rentrer à Mayfair, Julia toujours dans ses bras. *Un peu comme le brave Lochinvar,* se dit la jeune fille, *avec la douce Ellen, arrachée aux griffes de ses ravisseurs.*

Nombre de choses auraient pu être dites durant ce trajet, nombre de mots – sinon de gestes – tendres échangés. Pelotonnée tout contre le jeune homme qu'elle enlaçait toujours fermement – pour rien au monde elle n'aurait relâché son étreinte –, Julia ne s'attendait pas à autre chose. Son cœur débordait d'amour, de gratitude pour tout ce qu'il avait fait pour elle. N'avait-il pas sauvé sa vie au péril de la sienne ? Comment ne pas y voir la preuve d'une affection véritable, d'un sentiment puissant, aussi durable que sincère ?

Un sentiment plus qu'à demi partagé, car elle ne balançait plus à présent à admettre ce que, pendant des mois, des années, elle avait soupçonné sans jamais tout à fait accepter de le reconnaître, à savoir qu'elle aimait Nathaniel Sheridan, que la chose ne datait pas de la veille, et qu'aucun autre homme au monde ne saurait la rendre heureuse.

Comment, sinon, expliquer que ses taquineries l'aient toujours tant exaspérée ? raisonnait-elle. Pourquoi ses refus répétés de lire les ouvrages qu'elle chérissait l'auraient-ils plongée dans de telles colères ? Et surtout, pourquoi cette boucle qui retombait constamment devant les yeux du jeune homme lui serait-elle apparue comme le trésor le plus précieux que la nature ait à offrir ?

Oui, elle l'aimait, lui – le véritable Nathaniel Sheridan, et non une espèce de créature idéale que son imagination aurait forgée de toutes pièces – comme elle n'avait jamais aimé qui que ce soit auparavant !

Elle tomba donc des nues quand le jeune homme rompit enfin le silence, non pour lui jurer une passion éternelle, mais pour lui chercher querelle.

— Mais qu'est-ce qui vous a pris, gronda-t-il, de quitter la maison pour disparaître comme ça, sans dire à personne où vous comptiez réellement vous rendre ?

Elle redressa la tête et le dévisagea, stupéfaite. Où était la déclaration, la demande en mariage, où étaient les mots tendres, les serments, les transports tant espérés ?

Et à quoi songeait-il pour lui parler sur ce ton ? Comment osait-il la rendre, *elle*, responsable de sa mésaventure ?

— Ce n'était pas ma faute ! protesta-t-elle. On m'a tendu un piège !

— Harold Blenkenship nous a raconté par le menu comment on vous a enlevée, déclara-t-il, furieux. Seule une parfaite idiote s'y serait laissé prendre ! Sir Hugh vous demandant de le rencontrer à Grafton House, rien que ça ! Quelle idée baroque ! Bon sang, jamais il n'aurait fait une chose pareille, voyons !

Julia, qui sentait sa tendresse pour le jeune homme se muer rapidement en exaspération, desserra quelque peu l'étreinte de ses bras.

— La lettre parlait d'une surprise, se justifiat-elle, une surprise pour Eleanor. Comment aurais-je pu me douter que ce n'étaient là que mensonges ?

— Si vous aviez eu ne serait-ce que le moindre atome de sens commun, rétorqua-t-il, vous auriez su que Sir Hugh, en vrai gentleman, n'aurait jamais envisagé de fixer un rendez-vous à une femme seule et non mariée, et ce, même au beau milieu de la journée et dans un endroit public. Vous l'avez échappé belle, vraiment ! Ces misérables auraient très bien pu vous assassiner, vous savez !

Chassés par une immense vague de tristesse, la joie et le rire avaient déserté Julia : Nathaniel ne partageait pas ses sentiments, ou il ne lui parlerait pas avec tant de cruauté. Comment ne se rendait-il pas compte qu'il était en train de gâcher ce qui aurait pu être un moment inoubliable de leur existence ?

— Je le sais bien maintenant, pas besoin de vous montrer si désagréable ! J'ai juste commis une erreur, voilà tout, admit-elle en faisant, tant elle était déçue, des efforts désespérés pour ne pas renifler.

— Une erreur qui risquait de vous coûter la vie ! s'écria Nathaniel. Je vous jure, Miss Sparks, que j'en viens parfois à penser que vous auriez bien besoin de quelqu'un pour vous surveiller de très près !

Les rues s'élargissaient progressivement, et les maisons qui les bordaient devenaient de moins en moins misérables au fur et à mesure qu'ils approchaient du centre de la ville.

Jamais il ne l'appelait ainsi ! Elle refoulait ses larmes : il disait *Julia* d'ordinaire, et non *Miss Sparks*, et de l'entendre lui parler si formellement sonnait à ses oreilles comme un funeste présage.

Aucun doute à présent, il ne l'aimait pas ! Peut-être même ne l'avait-il jamais aimée : toutes ses taquineries n'étaient donc que la manifestation d'une banale amitié et ne dissimulaient en rien, contrairement à ce qu'elle avait parfois soupçonné, un sentiment plus profond, plus fort et plus tendre.

Bon d'accord ! Contrairement à ce qu'elle avait espéré, plutôt.

— Quoi qu'il en soit, dit-elle en tâchant de couvrir les sanglots dans sa voix sous une quinte de toux, vous admettrez que je suis tout de même parvenue à convaincre Harold d'aller chercher de l'aide !

— Que je sois damné si ce n'est pas là un bel exemple d'aveugle en guidant un autre ! déclara Nathaniel d'un ton dégoûté. Ce garçon aurait eu la correction qu'il mérite, si je n'avais été trop occupé à vous tirer de la mauvaise passe dans laquelle il avait contribué à vous mettre ! Si, dès le début, cet idiot avait eu le bon sens d'en parler...

— Mais il y a effectivement fait allusion, dit Julia, étonnée de s'entendre elle-même prendre ainsi la défense du Mollusque. Il a essayé, tout du moins. Vous ne comprenez pas ! Les choses ne sont pas faciles, pour lui. Il voudrait devenir créateur de mode, mais son père s'y oppose.

— Et cela l'autoriserait à rester les bras ballants quand d'innocentes jeunes filles se font enlever ?

Nathaniel secoua la tête. Son visage, à la clarté des réverbères à gaz, avait pris une expression sévère. Il semblait bien loin de songer à l'embrasser.

— Je vous affirme, Julia, que cela va barder pour pas mal de personnes, reprit-il. Votre oncle ira en prison, et je ne serai pas outre mesure surpris si Lord Farelly et le vicomte l'y rejoignaient !

— Ce n'est pas mon oncle, rectifia-t-elle machinalement.

Et, brusquement, elle se rendit compte de ce qu'elle venait d'entendre. Il l'avait appelée Julia ! Aucun doute là-dessus, elle était sûre de ne pas se tromper.

Peut-être... peut-être y avait-il encore, tout compte fait, une petite lueur d'espoir.

Il convenait de manœuvrer avec une prudence extrême. Elle resserra imperceptiblement sa prise sur le cou du jeune homme.

— Mais vous êtes arrivé à point nommé, Nat, hasarda-t-elle, craignant qu'il ne s'emporte à nouveau. Exactement comme... comme Lochinvar !

Il tourna la tête et la regarda, sourcils froncés. Quelle idiote elle faisait ! Elle avait complètement oublié le mépris qu'il professait à l'égard du preux chevalier.

— Oh, Nat ! s'écria-t-elle. Vous devriez vraiment essayer de surmonter tous ces absurdes préjugés ! Que reprochez-vous au juste aux poètes et à la poésie ?

Un jeune homme bien mis et une jolie jeune fille dépourvue de gants comme de bonnet et chaussée, de surcroît, d'une unique bottine, chevauchant de concert par les rues de la ville, présentent un spectacle pour le moins inhabituel, mais Nathaniel semblait indifférent aux regards curieux qu'ils s'attiraient. Il haussa légèrement les épaules.

— C'est juste que tout ça me paraît tellement idiot ! Personne ne parle ainsi, Julia, pas en vrai ! Pourquoi vos poètes ne s'expriment-ils pas plus simplement, comme le commun des mortels ? C'est cela qui me déplaît en eux, je les trouve abstrus, je n'y peux rien ! Votre Roméo, par exemple, reprit-il avec colère, pourquoi, au lieu de tergiverser et de se perdre en divagations insensées sur combien il voudrait être son gant, ne déclare-t-il pas tout de go à sa Juliette qu'il l'aime ?

Julia ne put s'empêcher de détacher une main du cou du jeune homme pour effleurer la mèche de cheveux qui retombait sur son front.

— Parce que, dans ce cas-là, la pièce serait trop courte, expliqua-t-elle, et les spectateurs se sentiraient floués.

Nathaniel ignora le geste de la jeune fille.

— Et c'est sans doute ainsi que Bartholomew vous a convaincue de l'épouser, prononça-t-il férocement, à grand renfort de poésie !

— En fait, non, répondit Julia. Il n'a pas eu à le faire. Voyez-vous, je le connaissais à peine, et si j'ai répondu *oui* lorsqu'il a demandé ma main, c'est parce que j'aimais – ou je croyais aimer, plus exactement – une certaine image que j'avais de lui ; mais cette image ne correspondait en rien à la réalité. Vous avez bien tenté de me mettre en garde, mais je ne vous ai pas écouté.

— Tiens donc !

Nathaniel immobilisa brusquement son cheval au beau milieu de la rue, insoucieux des regards éberlués des passants. Il affermit autour de la jeune fille le bras qui la maintenait en selle et la dévisagea avec une intensité accrue.

— Minute, Julia ! Est-ce à dire... que vous ne l'aimez plus ?

— Pas exactement. (Elle enlaça à nouveau le cou de son cavalier.) Je veux dire que, dès le début, je ne l'aimais pas ; mais je croyais l'aimer, simplement parce que c'était plus facile pour moi que d'admettre *qui* j'aimais réellement.

— Et *qui* aimiez-vous donc réellement ? interrogea-t-il d'un ton résolu, comme s'il tenait beaucoup à entendre la réponse.

Julia détourna les yeux, un imperceptible sourire de coquetterie aux lèvres.

— Franchement, dit-elle, je trouve que pour quelqu'un qui a réussi une licence de mathématiques à Oxford avec mention très bien, vos pouvoirs de déduction laissent parfois un peu à désirer.

Nathaniel la regarda quelques instants, perplexe, puis une expression de ravissement envahit peu à peu son visage ; une seconde plus tard et il la serrait fougueusement sur son cœur avec une ardeur passionnée.

— Julia ! Parlez-vous sérieusement ? murmura-t-il, le visage enfoui dans la chevelure en bataille de la jeune fille. Vous ne vous moquez pas de moi ?

Elle s'écarta légèrement – autant que le bras qui l'entourait le lui permettait – pour le mieux contempler.

— Bien sûr que non, je ne plaisante pas, affirma-t-elle le plus sérieusement du monde. J'essaye juste de vous exposer clairement les choses, pour qu'il n'y ait plus aucune méprise possible. Je sais en quelle estime vous tenez la poésie, et...

Elle ne put poursuivre : les lèvres de Nathaniel s'emparaient des siennes, la réduisant momentanément au silence.

Et Julia, qui ne connaissait jusqu'alors que les baisers d'un dieu, comprit soudain combien infiniment plus divins sont ceux d'un simple mortel, car lui semblait y croire ; ou était-ce que l'homme qui l'embrassait cette fois était réellement celui qu'elle aimait, qu'elle estimait plus que tout autre au monde ?

Quoi qu'il en soit, être embrassée par Nathaniel Sheridan, même à cheval et au beau milieu d'une rue fréquentée, s'avérait l'expérience la plus passionnante qu'il lui avait jamais été donné de vivre.

Du moins jusqu'à ce qu'il relève la tête pour lui dire d'une voix sourde *Oh, Julia, je t'aime tellement !* avant de récidiver derechef.

Et ça, pensa-t-elle, c'était bien le plus extraordinairement excitant de tout !

— Eh bien, Mamie ? interrogea Julia en mordant dans une tranche de pain d'épices, ce que disait Madame de celles qui parlent la bouche pleine momentanément oublié. Que penses-tu de lui ?

Mamie préparait une cruche de limonade avec les citrons rapportés des îles par le frère de Lady Sheridan, un marin. Elle releva la tête avec un grand sourire réjoui.

— Oh, Miss Julia ! s'exclama-t-elle les yeux brillants. Pour sûr que ce n'est pas le premier venu, et vous n'auriez pas pu trouver mieux en organisant un concours !

— N'est-ce pas, approuva la jeune fille. Et Puddy, dis-moi, est-ce qu'il plaît aussi à Puddy ?

— Mais certainement, Miss Julia, je peux vous l'assurer, répondit la vieille femme – en quelque sorte la grand-mère adoptive de Julia – toujours souriante. Pensez donc, le jeune monsieur lui a déjà montré une bien meilleure façon de tenir les comptes pour le lait et la laine !

— Oui, Nathaniel a un certain don pour les chiffres, dit Julia.

— C'est un jeune homme splendide, renchérit Mamie. Vous vous êtes bien débrouillée, Miss Julia !

C'était également son avis. Oui, elle s'était bien débrouillée, et même mieux que simplement bien. La bonne fortune l'avait favorisée plus que toute autre jeune fille au monde, estimait-elle... une opinion que semblait partager Eleanor, quand elle la retrouva un peu plus tard près de la nappe de pique-nique déployée sur le gazon de l'Abbaye.

— Oh, Julia ! soupira son amie en contemplant le ciel bleu d'été. Quelle chance tu as, vraiment !

Julia, qui remplissait son verre de limonade, suivit son regard des yeux. L'air était d'une extraordinaire pureté, sans aucune trace des nuages de fumée que crachaient continuellement, à dix miles de là, les mines de charbon.

— D'être orpheline, tu veux dire ? demanda Julia.

— Non, je ne te parle pas de ça.

Eleanor se redressa.

— Mais de tout le reste !

Elle désigna d'un vaste geste englobant le paysage alentour et ses verts pâturages, le firmament d'un azur éblouissant et le charmant petit manoir.

— C'est si beau, tu sais !

— Et quand je pense qu'ils projetaient de construire, à cet endroit précis, une affreuse voie de chemin de fer !

Julia s'étira et s'étendit de tout son long sur sa couverture.

— Je suis bien aise que tu y aies mis le holà, déclara Eleanor avec sérieux. Ce n'est pas que je veuille m'opposer à la marche du progrès, pas du tout, sauf si...

— ...sauf si, au passage, elle piétine sans vergogne le salon, compléta Julia. Oui, je suis bien d'accord avec toi : Stockton & Darlington peuvent s'amuser à poser des rails où ça leur chante, du moment que ce n'est pas sur *ma* propriété !

— Mais ils t'ont tout de même présenté leurs excuses, rappela Eleanor. Et M. Pease, lui, ne savait pas que tu ne voulais pas vendre l'Abbaye, Lord Renshaw lui avait affirmé que tu serais ravie de la lui céder.

— Je trouve que le Rouspéteur a reçu la leçon qu'il méritait.

Julia se retourna sur le ventre pour cueillir une pâquerette.

— Pas toi ?

— En ce qu'il a dû transférer, bon gré mal gré, ses pénates à la prison de Newgate ? pouffa son amie. Oui, c'est bien fait pour lui, et pour Lord Farelly aussi, et je leur souhaite de découvrir bien des charmes à leur nouvelle demeure !

— Et à Lord Sebastian également, dit Julia en détachant un pétale. *Il m'aime.* Ne l'oublie pas !

— Oh, lui, pas de risque !

Eleanor s'allongea à nouveau près de son amie et appuya le menton sur une main.

— Mais tout de même, tu ne trouves pas ça dommage, toute cette beauté recluse dans un obscur cachot ?

— Il aurait dû y songer plus tôt, avant d'accepter de prêter son concours aux manigances de son père !

Julia arracha un nouveau pétale.

Un peu.

— Incontestablement ! Et t'ai-je dit, Julia, que l'histoire a rendu Lady Farelly si impopulaire qu'elle a dû se résoudre à fuir sur le Continent ? Quand les journaux ont dévoilé ce que son mari avait voulu te faire, tout Londres a refusé de la recevoir !

— Le Continent, dit Julia, vaut toujours mieux que la prison.

Beaucoup.

— C'est vrai. Mais, oh, j'allais oublier ! Juste avant de quitter la ville pour venir ici, j'ai entendu une chose sidérante ! On raconte que Lady Honoria est partie pour l'Amérique ! L'Amérique, tu te rends compte ! Et imagine un peu avec qui !

— Je crois que je devine, affirma Julia.

Passionnément.

— Avec mon petit-cousin Harold ? précisa-t-elle.

Eleanor laissa fuser un petit cri surexcité.

— Exactement ! N'est-ce pas proprement renversant ? Lady Honoria et le Mollusque ! Je n'arrive pas à comprendre comment il a pu la convaincre de... quoique, en un sens, la pauvre n'ait pas vraiment eu le choix. Ici, elle se serait retrouvée, elle aussi, au ban de la société. Tout de même, comme elle doit détester sa mère, pour lui préférer la compagnie du Mollusque ! Mais j'ai bien cru mourir de rire en apprenant ça !

— Ça ne me paraît pas forcément une mauvaise solution, commenta Julia, à condition qu'il fasse en sorte qu'elle n'approche plus jamais une plume !

À la folie.

— Où sont donc passés les autres ?

Une main en visière pour protéger ses yeux des rayons éblouissants du soleil, Eleanor scruta les alentours.

— Oh, je les vois ! Julia, tu n'imagineras jamais ce que Hugh et Nat sont en train de faire !

Il m'aime.

— Qu'est-ce qu'ils ont encore inventé ?

— Ils sont trop loin pour que je les voie bien, mais il me semble bien que... Oh ! Figure-toi qu'ils apprennent à Philip à nager !

Julia se remit aussitôt sur son séant pour regarder dans la direction qu'indiquait son amie.

— Tout nus ?

— Tu rêves ! Mais j'espère que Maman ne peut pas les voir de la maison ! Tu sais que Phil est censé être puni, pour avoir caché des œufs de cane dans le poulailler.

Son amie avait, pour sa part, jugé hilarant le spectacle de tant de petits canetons consciencieusement pendus aux basques d'une poule ahurie, mais, par déférence envers Lord et Lady Sheridan, furieux, elle s'était bien gardée de rire ouvertement.

— Deux ans, murmura Eleanor, les yeux toujours fixés sur le ruisseau. N'est-ce pas une éternité ? Je trouve Mère injuste de vous faire languir si longtemps, Nat et toi ! Tu n'es pas sa fille, après tout !

Julia retourna à sa pâquerette avec un imperceptible haussement d'épaules. Que Lady Sheridan les oblige à attendre pour se marier qu'elle ait atteint l'âge de dix-huit ans ne la contrariait, en réalité, guère plus que la farce de Philip. La jeune fille, qui n'avait jamais connu sa mère, appréciait d'avoir trouvé quelqu'un pour la diriger : ce n'était pas sans lui rappeler sa vie de pensionnaire, sous la houlette de Mme Vieuxvincent... avec, en prime, l'avantage d'être à tout bout de champ fougueusement embrassée par l'homme de sa vie.

Passionnément.

Eleanor étendit tout à coup la main et saisit l'une des serviettes de table monogrammées posées sur la nappe.

— Regarde donc ! s'écria-t-elle. Je viens juste de remarquer ! Tout est vraiment parfait, tu n'as même pas besoin de changer d'initiales : Julia Sparks, Julia Sheridan ! Tu vois, pas de nouvelles serviettes à broder !

— Oui, je sais.

À la folie.

— Et as-tu pensé qu'à la mort de Papa Nat deviendra vicomte à son tour ? poursuivit Eleanor. Tu seras donc quand même vicomtesse, tout compte fait. Tu es bien la plus chanceuse de toutes !

— Oui, n'est-ce pas ? approuva Julia d'un ton pensif.

Elle releva la tête en entendant Nathaniel la héler. La mèche rebelle qui d'ordinaire retombait obstinément devant les yeux du jeune homme était maintenant collée à son front.

— Julia, cria-t-il. Viens donc nous rejoindre ! L'eau est délicieuse !

Il m'aime.

Composition MCP - Groupe JOUVE - 45770 Saran
N° 252918R

Impression réalisée sur CAMERON par
BRODARD ET TAUPIN
La Flèche
en avril 2008

« Pour l'éditeur, le principe est d'utiliser des papiers composés
de fibres naturelles, renouvelables, recyclables et fabriquées à
partir de bois issus de forêts qui adoptent un système d'amé-
nagement durable. En outre, l'éditeur attend de ses fournis-
seurs de papier qu'ils s'inscrivent dans une démarche de certi-
fication environnementale reconnue. »

Dépôt légal Imprimeur : 47080
20.16.1331.6 / 01 - ISBN : 978 - 2 - 01 - 201331 - 5
Loi n° 49-956 du 16 juillet 1949 sur les publications destinées à la jeunesse.
Dépôt légal : mai 2008.